MAITÊPROENÇA**TODO**VÍCIOS

2ª EDIÇÃO

EDITORA RECORD
RIO DE JANEIRO • SÃO PAULO
2015

CIP-Brasil. Catalogação na publicação
Sindicato Nacional dos Editores de Livros, RJ

P957t   Proença, Maitê, 1958-
         Todo vícios/Maitê Proença. – 2.ed. – Rio de Janeiro: Record,
         2015.

         ISBN 978-85-01-10248-5

         1. Romance brasileiro. I. Título.

                                            CDD: 869.93
14-16574   CDU: 821.134.3(81)-3

Copyright © Maitê Proença, 2014

Capa: Retina 78
Projeto gráfico: Carolina Falcão

Texto revisado segundo o novo Acordo Ortográfico
da Língua Portuguesa.

Direitos exclusivos desta edição reservados pela
EDITORA RECORD LTDA.
Rua Argentina, 171 – 20921-380 – Rio de Janeiro, RJ – Tel.: 2585-2000

Impresso no Brasil

ISBN 978-85-01-10248-5

Seja um leitor preferencial Record.
Cadastre-se e receba informações sobre
nossos lançamentos e nossas promoções.

Atendimento e venda direta ao leitor:
mdireto@record.com.br ou (21) 2585-2002.

"Fiquei um tempo sem me mexer, mesmo sabendo que ela sofria, que pedia em súplica, que mendigava afeto. Tentei arrumar (foi um esforço) sua imagem remota, iluminada, provocadoramente altiva, e que agora expunha a nuca a um golpe de misericórdia. E ali, do outro lado da mesa, minha mulher apertava as mãos, e esperava. Interrompi o rabisco e escrevi sem pressa: 'não tenho afeto para dar', não cuidando sequer de lhe empurrar o bloco de volta, mas nem foi preciso, sua mão, com a avidez de um bico, se lançou sobre o grão amargo, que eu, num desperdício, deixei escapar entre meus dedos."

Raduan Nassar, "Hoje de madrugada"

Era um homem feio. Levava o peito curvado pra dentro, ombros tensos escondiam-lhe o pescoço, parecia desvigorado, e se vestia com desleixo. Mancava levemente. Nenhum traço sobressaía em seu rosto além da boca carnuda que, se não fosse ressecada, poderia ser bonita, e dos olhos quentes, que diziam uma imensidão. Nada que ela soubesse decifrar.

O ano corria tranquilo, esculturas expostas em museu de prestígio, peça em cartaz, e uma aridez sentimental libertadora. Quatro décadas de vida e jamais se sentira tão desprovida da ânsia por relacionamentos erótico-amorosos. Com tempo de sobra para produzir, ler, conviver com amigos, estudar e perambular, uma serenidade santa invadia seus dias alongados pelas horas que sobravam por não precisar seduzir ninguém. Seguia nesta passada quando um homem banal cruzou seu desestímulo. Estava presente ao lançamento do livro de um escritor amigo. Depois do evento, saíram para jantar e pelas tantas ela reparou na criatura sentada quieta, meio absorta e fora de tom, ao canto da mesa. Não olhou duas vezes, havia gente suficientemente instigante a centímetros de suas então dispersas retinas. Quando a noite acabou uma amiga comentou que o rapaz do canto da mesa era inteligente, Você gostaria de conhecer, mexe com isso e aquilo e é brilhante no que faz. Passaram-se três semanas. O trabalho a ocupava, exigente. Para relaxar dos afazeres, ela se obrigou a sair para almoçar com a amiga da noite do livro. Claudia perguntou se poderia chamar o rapaz do canto da mesa e sem qualquer consideração ela disse que sim. Desta vez, João se sentou à sua frente, tornando a conversa obrigatória. Por sorte o papo rolava fácil entre amenidades bem ditas e tiradas espertas do tipo que desloca a gente do fundo da cadeira. Era divertido o homem banal e ela se entretinha um pouco além do que seria comum aqueles dias, mas, com espetáculo em cartaz, precisou abandonar o almoço pelo meio. Antes de sair, pra não ser deselegante, mas também porque não queria perdê-lo no balaio das possibilidades que se desfazem prematuramente, convidou-o para assistir ao espetáculo que dirigia, no qual interpretava um homem. Sim, queria se exibir. E ele, generoso, consentiu.

Ao final da apresentação Stella procurou por João. Não estava no foyer e ela deduziu que tivesse desistido. Ele não parecia mesmo muito interessado em teatro, e nela tampouco, é bem verdade, um certo blasé rondava os ares do homem coxo. Mas há fluidos misteriosos ordenando o invisível, e nós, tolas marionetes, nos curvamos a seus comandos. Não é assim com o destino? Se não é, foi. Ao sair do teatro, entrou uma mensagem em seu celular. Naquele exato momento, os ventos do oeste giraram, todos os ângulos se inverteram, e subitamente um foco se afirmou dentro. Então... seu mundo revirou-se, ganhando alvo e sentido. Com a seta apontada na direção definida, todo esmaecimento que empalidecera sua vida por um par de anos – sem que sequer percebesse – reacendeu num estalo.

Stella, obrigado pelo convite. Você não parece,
nem remotamente, um macho de catálogo,
pois atua como deveriam atuar seus colegas
de profissão. Aliás, os méritos da peça são o
texto enxuto e a ausência de caracterizações –
tentação teatral que faz multiplicarem decrépitas
e louquinhos histriônicos, e estraga as artes
cênicas brasileiras. Aliás, meu trauma do teatro
(sim, eu o tenho) teve origem nos perdigotos
lançados sobre as primeiras fileiras por atores
insuportáveis. Por que diabos gritam e babam
tanto os atores brasileiros?, sempre me perguntei.

Você não grita. Ufa! Foi um alívio constatar, alívio acompanhado de prazer. Me diverti o tempo todo. "Se a moça for boa de conversa, não vai ser boa de cama." Será? Não acredito. Você, Stella, olha para os homens como se fosse destruí-los, com inteligência, sexo ou desprezo. Em suma, parece não ser só boa de conversa. No final de semana que vem, deixe-me levá-la a uma feira de comidas. Também podemos visitar o mercado central ou, num impulso antropológico, passear na Cracolândia, onde tudo conheço. E, por favor, produza um filme, dirija. Falta um filme 100% seu. Cá entre nós, tive que negociar a grana para o filme recente de uma colega sua (ele citou o nome que agora omito). Fiquei arrasado. Pérolas aos porcos, como diria minha mãe. De novo, muito obrigado pelo domingo bem gasto. E, não, não usei seu convite. Paguei de cambista. Beijos João

Você não parece só boa de conversa, não perdia tempo o rapaz! E não era só isso. Os elogios permeados de ironia, pertinentes ou não, pouco importava, era tudo meio ácido: seu tamanho. Stella responde imediatamente.

Aceito! Começamos pela Cracolândia, pra engrossar a casca! Beijo!

Passaram-se três dias e nada de João. Tendo se calado depois do convite Stella achou por bem certificar-se de que a coisa estaria de pé no final de semana. Toda quinta ela embarcava na ponte aérea Rio-São Paulo, e lá permanecia por alguns dias hospedada num hotel dos Jardins. A bagagem era levada e aos domingos trazida de volta, e para o "impulso antropológico" precisaria, desta vez, conter sapatos confortáveis e roupa apropriada. Algo que a ofuscasse sem deixar feia, afinal, não andava interessada em sexo, mas ele talvez sim. Além do mais, seduzir é um vício, e aquele homem, ela por certo intuiu, era todo vícios.

Você vai me levar pra passear sábado?

Vou.

Preferimos manha ou tarde?

Essa decisão é sua. Quero unir o passeio a uma refeição. Passeio pela manhã e almoço pelas 14. Ou passeio no começo da tarde, pós almoço, com um lanche no fim da tarde.

10hrs então. Me pega no hotel? bj

Feito. Às 10h aí!

De noite

> Tive estreia em novo teatro,
> dormindo tarde, 10:30 ok?

Ok

> Acordei podemos manter
> 10 hrs mesmo o que acha?

30 minutos não mudam o mundo – ao menos
hoje. Tinha autorizado o motorista a pegar
algo nessa meia hora a mais. 10:15 talvez

> Não vou sair daqui. bj

Estarei aí o mais perto das 10
Cheguei

João surgiu no hotel com um carro de ministro, coisa formal que não se parecia com ele, e para completar havia um motorista, como de regra, dirigindo na frente, e os dois – assim ficou – sentariam atrás. Nada combinava. A roupa dela de cor pastel estudada para simular displicência, com a dele, uma camiseta laranja estridente e jeans largos despencados feito os de um cantor de hip-hop. O conjunto carro-motorista-passageiros também pouco se relacionava com o destino escolhido. Pra quem pretendia sumir na paisagem...

Stella sugeriu que o motorista os largasse a duas quadras da Cracolândia e entraram caminhando. João parecia gostar da cena, observava sem envolvimento, não mostrava piedade, não dizia coisas cafonas sobre os mais fracos nem aparentava incômodo com a devastação do cenário. Havia nele outra onda, um fascínio cuja origem ela não destrinchava, mas que estranhamente ajudava a inseri-los no lugar. Não é que estivessem integrados à mesma liga dos consumidores, mas também não existia uma separação do tipo "nós que temos uma vida organizada, em oposição a vocês párias confusos". Os craqueiros pareciam ajustados à rede que formam e percebia-se no todo alguma alegria; havia gente brincando de vôlei com aquela réstia de graça dos que buscam ainda a leveza. Não demonstravam agressividade, nem mesmo com os dois forasteiros, em safári, a observar a excentricidade dos bichos. Porque era o que faziam, mas também não era, já que o maior atrativo estava na régua que levavam a medir cada milímetro um do outro; nela sim, todo o estranhamento. O crack e o entorno, por mais pitorescos, desde o princípio tornaram-se secundários.

João desfilou para ela as drogas que conhecia, um buquê completo acompanhado das perdas e danos de cada experiência, e ela, sem ficar atrás, listou as suas. Se discorressem sobre preferências culinárias o tom não seria mais ameno. Sabiam que aquilo soava casual demais, mas a graça estava, justamente, em exagerar pra baixo. Divertiam-se contando fatos normalmente interditados a desconhecidos. Faziam isso sem deixar transparecer atrevimento, já que os fatos, embora pudessem ser, não eram chocantes para nenhum dos dois. No avançar de fronteiras os detalhes iam se encardindo e aquilo os divertia intimamente. Era bom dizer coisas proibidas e ouvir de volta um comentário fresco, era bom estar "naquele lugar" num primeiro encontro. Era bom também no sentido figurado (por isso as aspas).

Próximo à Cracolândia encontra-se a Estação da Luz, que naqueles meses abrigava uma exposição da artista canadense Janet Cardiff, Sim conheço bastante, é uma bambambã das artes contemporâneas, ela disse, adoraria ir, João. Partiram em caminhada. O passeio seria providencial para que pudesse exibir pequenos requintes de conhecimento. Poucos meses antes, Stella havia visitado um amigo na Alemanha, por ocasião da Documenta, em Kassel, e aproveitara para percorrer a feira. Cardiff participava com a mesma mostra de agora. Lembrava-se também do trabalho da artista exposto em um pavilhão de Inhotim. Tentou não parecer muito sabida, mas, sendo do meio, não resistiu a um comentário aqui e acolá, sobretudo quando João encontrou conhecidos pelo caminho. O curador era amigo dele e havia outros.

Talvez ele a tivesse levado ali para se mostrar bem-relacionado no mundo das artes. É muito possível, porque mais à frente na relação, raramente esbarrariam em gente notória com quem tivesse intimidade. Era lisonjeiro que o fizesse, pensou... A excitação do primeiro encontro fazia com que se excedessem sutilmente, mas nenhum dos dois se incomodava com os pequenos deslizes. Ela apenas começava a achar curioso que ele ainda não houvesse sexualizado o encontro. Nenhum toque, nenhum olhar de desejo ou insinuação. A julgar por sua mensagem inicial, àquela altura, já deveria ter soltado algum galanteio. João a observava como aos craqueiros, sem atração e com certo fascínio.

Almoçaram num tailandês. Ruim. A sugestão foi dela e funcionou bastante mal. Stella quase não comeu e ele catou de pauzinhos um legume aqui e ali, largando a maior parte no prato. Conversaram sobre carnes, sobre o atum que era fartamente oferecido no cardápio. Mais por graça do que por convicção, ela contou que não comia aquele peixe porque se revoltava com a prática de sua captura, e exagerou na descrição violenta, inventando o que não sabia. Ele rebateu que sendo libanês não tivera escolha, comia carnes de todo tipo, inclusive atuns, tartarugas e jacarés, o que lhe pusessem à frente. Ela foi parando de se exibir, ele desde o início fazia menos esforço. Nada disso importava, poucos momentos são mais pulsantes do que as primeiras horas de um jogo de amor, e o assunto é sempre de menor relevância. O que acontece entre uma frase e outra, isso sim ocupa todo o espaço. Ao final percebeu que João começava a ficar afoito. Podia ser por algum compromisso que se aproximasse, ou um desencanto súbito. Impossível saber, a transparência não despontava entre as características do homem. Nos dias seguintes um padrão se desenharia: toda vez que o fascínio os aproximava, João imediatamente se retraía. Ou sumia, e oscilava com a intensidade do entusiasmo experimentado. Mas naquele princípio, em que ela nada conhecia e estava arrebatada pela surpresa de se encantar novamente por alguém encantador, tudo era leve e instigante, e ela se deixava atrair pela criatura incomum que a empurrava fora de seu bosque sereno. Percebia perplexa o brotar de um anseio por tudo de que abdicara havia um par de anos. Sabe-se lá por que, estando tão fixa e instalada – É a química dos imponderáveis, escutou seu pai dizendo –, algo se mexia dentro, e ela suspirava por aquele homem improvável.

João a deixou no hotel mais cedo do que necessário. Obedecendo ao meio escolhido, Stella lhe passou uma mensagem de texto.

Gostei muito! Obrigada.

Fiquei muito feliz a seu lado! Pena que o seu
sms tenha chegado antes do meu. Seus
dedos são mais rápidos. E eu, prolixo.

Ela escolheu um 😌👐. Será que ele vai achar infantil?
Certamente. Enviou mesmo assim.

Naquela tarde, uma amiga ligada à primeira a convidou para almoçar em sua casa no dia seguinte, e ela respondeu que sim, que iria e pegaria uma carona com Claudia, Ela irá também ou não? Virá, mas você pode aproveitar o João. Ele mora mais perto de você.

Hmmmm. Esta também o conhecia...

Segue nova mensagem, para... João.

Suas amigas estão em campanha, você deve
ser um cara legal, assim que me deixou no
hotel, como deve saber, a amiga de nossa
amiga ligou pra convidar pra almoço amanhã
e sugeriu que fosse de carona com você, "ele
mora perto". Achei ótimo, pode ser? Que hora?

Campanha é ruim. Você é legal. 13:00. Pego
você de táxi. Vou dispensar o motorista.
Se você estiver sem vontade, arranjo um
álibi e desmarcamos. Eu já te conheço.

Podemos falar direto um com o outro.

Estou com vontade.

Então bóra.

Dia seguinte

Stella, fui pego por alguma bactéria da Cracolândia.
Febre e corpo inteiro doendo. Uma gripe filha da
puta ou sei lá o que. Peço perdão, mas tô fora
de combate. Almoço fica para a próxima. Beijos

Combate ele escreveu, não convém desprezar as palavras,
são balizas, e por meio delas as pessoas se denunciam
já no início de um relacionamento. Com gente eminen-
temente urbana como João, o mecanismo é ainda mais
perceptível: numa espécie de prognóstico involuntário,
apresenta indícios do que virá depois, escolhendo palavras mais precisas ainda do que as que se usarão mais
à frente na relação, quando o receio de perder passa a
interferir na sinceridade dos propósitos.

Era assim que ele via o nosso encontro? Qualquer
desdobramento da "tarde antropológica" seria um combate? Uma reunião entre amigos após aquelas horas tão
surpreendentes seria para ele um *combate*? Anunciava-
-se ali o mantra que orientava este homem e seus para-

doxos. Mas é claro que Stella não deu bola, supondo que fosse força de expressão. A bem da verdade, não supôs coisa alguma, acreditou simplesmente. E por que não?

Tomou remédio? Ajudou? Esta
melhorando ou piorando?

Não tomei nada. Só líquidos. Estou deitado
na cama, prostrado. O corpo todo dói. A febre
baixou sozinha. Piorando não estou. Meu filho
pequeno está vindo para "cuidar" de mim. A
mais velha dormiu comigo. E cuidou mesmo.

Tome um antinflamatório ao menos e antibiótico
se puder. Tive algo assim e fiquei destruída
por 3 semanas! Sem remédio é a via crucis.

Adoro quando você faz apologia de remédios.
Você não sabe o quanto isso nos aproxima.
Mudando de assunto, pensei muito sobre
o atum. Ele não é parente de golfinho. Não
é fofo, não responde a estímulo humano,
não reconhece afeto e não reage. E é feio
pra cacete. Voltemos a comê-lo, linda!

Remédios vá lá, mas o atum ficará
atravessado entre nossas gargantas, a
sua com o bicho, e a minha without.

Ok, foi só uma tentativa.

Quando volta para o Rio?

Meu taxi chegou.

A casa era bonita, cor de tijolo, aquele tom meio-terra-desmaiada que se vê em certas regiões da Itália. Os donos tinham origem italiana, devia ser por isso, certamente, famílias tradicionais gostam de reforçar suas distinções. O almoço foi servido numa varanda do jardim. Muito se falou de João. O grupo, liderado pela anfitriã, tentava forçar em Stella um interesse pelo rapaz adoecido. Mal disfarçavam. A estratégia tosca não a incomodou, já que estava mais interessada no jogo do que eles poderiam imaginar. Ela só não distinguia bem o grau de intimidade que mantinham com ele. Às vezes parecia intenso, ainda que forçado (por quê?), em outras, era como se falassem de um excêntrico sobre quem nada conheciam, mas que excitava a conversa, como uma girafa empalhada adquirida em viagem à Namíbia. João dava assunto. Lá pelas tantas um dos convidados, que a conhecia havia anos, com pena quem sabe, puxou-a de lado e disse, Se fosse você pulava fora, ele é doido de rasgar dinheiro. Stella achou graça e fez pouco – dito daquele jeito, em tom afetuoso, não seria pra valer. Novo descuido. É imprudente desdenhar avisos de natureza perigosa, ninguém se expõe em vão, quem avisava não era um leviano e, sendo conhecido de ambos os lados, não tinha por que se meter num vespeiro sem motivo. Mas Stella enxergava mal. Os tentáculos da paixão, já em seu despontar, ofereciam em sacrifício ao amado toda a lucidez!

Ao longo do almoço, trocaram mensagens de texto (o grupo inteiro era ligado em SMS, aquilo parecia uma confraria de torpedos). Fotos da mesa composta foram passadas para João, que em resposta enviou outra de si mesmo caído sobre uma cama. Acompanhando a imagem, um comentário: "A Stella tem cores."

A moça amoleceu. O feio levava jeito com ela.

Mais tarde, mesmo dia

Stella devolveu-lhe a graça com uma provocação.

> E o esturjão, que nos dá o bendito fruto,
> sabe como são retiradas suas ovas? Com
> as pobrecitas vivas! Depois recosturam e
> jogam de volta ao mar. By the way, retorno
> hoje ao Rio, você deve ficar bom amanha ;-)

"A fêmea de esturjão, capturada viva, é
transportada até uma mesa de metal onde é

atordoada e lavada. O seu ventre é então aberto com precisão, enquanto ainda viva (já que a sua morte liberta toxinas nefastas para as ovas), sendo o saco de ovas extraído, lavado e imediatamente pesado. Tradicionalmente a fêmea é depois morta e encaminhada para processamento (com vista nomeadamente à comercialização da carne), embora hoje em dia, particularmente com esturjões de aquicultura, seja cada vez mais comum a remoção cirúrgica das ovas, assim permitindo que as fêmeas continuem a produzir mais durante o seu tempo de vida."
Você volta, né? Gostou do almoço? Adoro Beluga.

> Volto. Almoço bom, todos muito gentis. Adoro Beluga.

Dois dias se passam

Sem contatos.

> Melhorou? Seus filhinhos cuidaram bem de você?

Silêncio.

Kd você? Não gosta mais de mim :-((

Nenhuma resposta.

Dia seguinte

Amor, acordei há 15 minutos... Continuo baqueado.
Acho que só amanhã volto à vida. Como está o
Rio? O que você faz no Rio durante a semana?

> Ensolarado. Diferente um dia do outro, rotina
> desbussolada. Hoje fiz ginastica depois reunião
> com a galerista para detalhes de venda de
> minhas peças. Almoço em casa com diretores
> de uma ong. Eu os fiz investirem num projeto de
> horta nas lages do Vidigal. E manicure, a vida é
> melhor sem cutículas! 4a tenho um papo cabeça
> ao lado do Zerbini numa feira de arte na Favela
> da Maré. (parecendo a rainha das comunidades,
> mas é coincidência mesmo). Leio, passeio, penso
> em ir a praia no fim da tarde, em geral não vou.
> Fiz investir ou os fiz investirem?

As duas formas estão certas.
Eu prefiro o infinitivo.

> Eu também.

Infinitivo é mais elegante. Guarda relação com
a magreza, acho. Mais enxuto, menos gordo.

Se a gente continuar se gostando você
prefere ir comigo pra Abrolhos ver as baleias
parir baleinhas mês que vem ou nos Kayapós
lá no meio do nada onde ainda vive um Raoni
de 80 anos? Ou teremos que ficar pelas
cidades, pálidos visitantes de Cracolândias?

Você faz muita coisa. Horta na laje
significa o fim do churrasco na laje. É um
projeto vegetariano travestido de projeto
ambiental. Você é foda. Mente maligna

Sim laJe ok. Fui alfabetizada em inglês,
vivi até os cinco na África do Sul.
Dá nisso, perdoe. Mas o cultivo é só
numa parte da laje, são hortas hidropônicas
que ocupam bem pouco espaço, o resto
fica pra picanha. Mente benigna 😈 😇
Aprendi recentemente a colocar figuras não
resisto a uma novidade imbecil 🐱‍👤 🐶 🍭 🎵 🔍

Coloque, coloque.

E Abrolhos?

Baleia é melhor que Raoni.

Abrolhos, then. Mês que vem? E podemos ver?

Muitas. A Ong cuida de Abrolhos, tem
uns 5 rapazes biólogos vivendo no parque
(entre os minhôcos da terra) que é proibido
pra outras pessoas, eles levam a gente
nos sites das baleias, milhares, a época
é agora e da pra mergulhar. Você sabe?
Se não quiser não precisa, eu deixo você
ficar em cima olhando o horizonte.
Amanha talvez vá a SP :-)

Silêncio de sepulcro.

Fim do dia

Tarde de sonos e sonhos intermitentes. Dois
ficaram registrados a ferro quente na memória.
Baleias, golfinhos e atuns nadavam aos
montes no mar. E eu os via por uma janela.
Pela mesma janela, ou parecida, do mesmo
sonho, ou de outro, eu via uma sala de parto.
Uma mulher deitada de pernas abertas numa
maca. Pedia médicos, estava com dor, mas
ninguém vinha. De repente vieram, vários, todos
usando jalecos, tubos de oxigênio nas costas
e máscaras de mergulho – naquela sala seca.

Ficaram quietos. Olharam a mulher parir sozinha.
Achei tudo esquisito, mas havia uma certa
normalidade entre eles. Não é que eu entendi!

Uau! O que um simples sms pode produzir
no sono REM de um criativo! Daria bom
cinema. Eu sonhei que estava na Síria/
Iraque, Ana comigo e Laerte (o amigo que
lhe contei, nos levou pro Haiti). Houve um
ataque e fui imprensada pra dentro de um
tanque de guerra que se preparava para
atacar, trocamos para um caminhão mas nisso
fui parar num carro de gente com múltiplas
nacionalidades. Estavam ali a brinca, tirando
"proveito" da guerra. Me olhavam com ironia,
entendi que sofreria um estupro e fugi. Corta
e eu me vi na casa de um coreano. Laerte
tinha ficado no tanque, Ana no alojamento.
Na casa não havia móvel algum mas o chão
era infestado de escorpiões. O homem me
atravessou no colo enquanto os filhos e ele
pisavam nos insetos. Chegou a mulher do
coreano, enfermeira. Eu estava segura, mas
já não sabia o endereço do alojamento, havia
me perdido da Ana… Isso foi ontem, hj
dormi como um peixe em águas limpas.

Bom dia. Tá melhor?

Longo silêncio.

> Não faz assim é feio. Abrolhos foi uma ideia
> estupida, você é urbano and who cares
> about whales? Falei pq pensei, tenho o
> péssimo hábito. Seu sonho era engraçado e
> bem contado, o meu idiota. Releve, eu sou
> legal. E gosto de você. Acendeu uma coisa
> dormida dentro de mim há tanto tempo, fiquei
> contente. Você quer que eu desligue a coisa?

Não! Don't pull the plug. Eu não ando muito
bem. Seu sonho é melhor que o meu. Abrolhos
é algo que eu nunca fiz e gostaria de fazer.

Stella envia-lhe a foto de um quadro do artista sul-afri-
cano William Kentridge – haviam conversado a respeito
na exposição da Janet Cardiff. No quadro, bonito e deso-
lador, uma frase: "Her absence filled the world." Embaixo,
ela escreve, "your absence filled my day".

Linda

João havia feito revelações bastante íntimas sobre o fim
de uma relação recente e de como vivia às voltas com
aquilo, atormentado. Na tentativa de oferecer algum alí-

vio, ela lhe passou o link de uma palestra do José Miguel Wisnik com um trecho pungente que imaginou que pudesse interessar.

> Se tiver tempo assista, do minuto 10
> ao 28, eh sobre a lida com o luto
> e a melancolia. Mas é suave.

Stella linda, hoje te vi na internet, num de seus catálogos, com uma foto linda, e numa frase na revista Época, pinçada de entrevista ao Agora, em que dizia: "Adoro programa com obesos, drogados, presidiários e gente com anomalias". Enfim, sinto só agora a legitimidade de sua atração por mim. Obs – ex-obeso e, provavelmente, futuro presidiário. O resto já tá ticado.

> Eles cortaram mas eu disse também q
> assisto tarde da noite e fico perturbada
> depois sem conseguir dormir (sou uma
> tonta, né?). Em você eu gosto do humor, da
> precisão na escolha das palavras, de não
> dar voltas pra dizer, de como percebe e
> processa o entorno. E de você gostar de
> mim. Ex gordo é magro, não gosto de gordos.
> Presidiários ficam confinados e eu quero
> você perto: não se anime com o crime!

Nenhum comentário.

Noite do dia seguinte

> To chegando na Maré. Duas hrs de
> engarrafamento e agora me atiro às feras.
> Sorrindo, porque o fairplay não se pode
> perder jamais. xxoo Onde você esta?

Trabalho. Tédio. Eu quero aprender
FairPlay. Me ensina?

> Sim:-) Vou ao papo, caminhos da arte
> contemporânea. Oh! Sempre fico um pouco
> surpresa por haver pessoas na plateia
> interessadas no que tenho a dizer. Não é
> falsa modéstia. Neste caso divido a cena com
> o Zerbini, e ele, claro, justifica o interesse.

Boa sorte!!!!

Dia seguinte

> Vai me levar pra jantar
> amanha à noite?

Claro.

Onde?

Silêncio

O gato comeu seu dedo?

O gato está em reunião com o sócio.

Miau

Pensando nas entrevistas dadas pela gata.
Fingindo que está ouvindo o cara. Fazendo
cara de inteligente. Decorando frases moderno-
enigmáticas que possa soltar e deixá-lo pensando
que sempre tenho algo criativo a acrescentar.

O gato leu/ouviu as entrevistas
da gata? hmmmm

Sim, leu. Tudo o que pôde.

Gato fazendo dever de casa. 🐱
Mto bem! Gato sabido.

Tentando mapear

Fuçou o site e FB? O real? O Face-fake da
gata tem mais seguidores que o desta gata
que vos mia, cuja foto de apresentação
tem ela, fumando, deitada em cima de uma
de suas esculturas de vidro. Vc foi lá?

Sim!!!!!!!!!! Adorei

Ficou bom do corpo e da outra coisa?

Bonita, fiquei não. Nem de uma coisa nem
de outra. A outra coisa já não é mais só a
outra pessoa, desdobrou-se num grande
questionamento a respeito de que porra fiz na
minha vida, consumida em décadas sem entregas
verdadeiras – e da tragédia de ser sacaneado
no escuro justamente quando me abri. O corpo
apresentou outro problema – a intolerância
a uma medicação – mas será resolvido.

Vi que tentava teclar algo que interrompi.
Você pode enviar, redundâncias
sinceras me interessam...

Silêncio

Dia seguinte, fim de tarde

Passo no teatro às 22:30, ok?

Perfeito.

Mais tarde chega nova mensagem, que Stella não viu, porque, nos porões do teatro, seu celular ficava inoperante.

E aí? Assinando? Estou próximo

Neste princípio ele às vezes agia como toda a gente, com pequenas delicadezas. Alertava para um atraso, avisava onde estava, se de fato apareceria como combinado ou se ocorrera um contratempo. Mas, em geral, apenas sumia e silenciava. Com o tempo, os silêncios foram se tornando mais longos. Quanto maior o apreço de um pelo outro, quanto mais se queriam – porque o interesse era crescente, ainda que houvesse pouco sexo... Espere! Nesse ponto da história, ainda não havia sexo de gente grande, só eventualmente veio a acontecer, e é a este futuro que me refiro num adiantamento afobado. Então, quanto mais nos desejávamos, mais profusas eram as complicações que ele inventava para nos alvejar. A impressão que ficava era a de que *precisava* me decepcionar, para me dissuadir talvez. Por quê?

Começo a me perder aqui... Perdoe a confusão da primeira pessoa. A troca de vozes foi um lapso. Talvez tenha sido prematuro e terei possivelmente que fazer reparos. Aproveito a interrupção para admitir que venho considerando, desde o princípio, uma abordagem mais pessoal para esse relato, como esta de logo acima, com uma Stella narradora contando a história. Perceba, leitor, como ficaria mais íntimo e afável... Por outro lado, vislumbrando o desdobramento que a trama terá – inevitável ao relembrar os instantes iniciais –, penso que prefiro a alteridade de uma Stella afastada, que teria vivido este conto oblíquo, ou sonhado um sonho vesgo assim, mas que não seria eu (rodada, esperta), e sim uma genérica mais romântica, levemente adoentada e tola. Por ora seguirei como está. Aventei ainda a possibilidade de usar outro nome, pensei em Tônia ou Luiza (por Louise Bourgeois) porque gosto das referências, mas desmereceria as fontes originais. Não. Ficaremos com Stella, tanto faz este ou qualquer; por conta da atriz das revistas e do assunto batido deste romance, uma estúpida história de amor, é inevitável que se perguntem se há relatos pessoais, se revelo intimidades secretas e vergonhas de corar, se faço confissões tumulares. Direi aos jornais que é tudo inventado e que mais relevantes são as subjetividades, as considerações, as entrelinhas e coisa e tal. E que, não sendo jornalista como eles, que buscam – e nunca conseguem – a isenção dos fatos, minha escrita partirá sempre de impressões íntimas, ainda que Stella seja criada – inspirada em outra talvez, porque é sempre assim, ela poderia muito bem ser veterinária ou cantora de rock, isso não mudaria o que tenho a dizer. Por último explicarei ser João um homem que nunca conheci. Seria possível contar esse desamor de seu ponto de vista, e seria mais engenhoso, se considerarmos o aspecto puramente técnico. João que, paciente, terá seus momentos. Para ele guardarei ainda a palavra final. Além do mais, o personagem não teria tempo nem interesse de esmiuçar sentimentalidades entre duas pessoas, mesmo sendo ele uma delas. Este relato é um acaso que passou por João, ao lado dele e quase à sua revelia. Fosse ele a contar os fatos do começo ao fim e terminaríamos, você e eu, com um troço cru entre as mãos. Quanto ao porvir, que façam todas as chatíssimas especulações, ninguém dará ouvidos a meus alhos e bugalhos, então pensem o que quiserem. Primeira, terceira, João, Luiza, Stella, vou contar a história #liberté-fraternité-egalité #lávai.

Voltando.

João foi buscá-la no teatro. Todas as noites formava-se uma fila para cumprimentos e autógrafos em programas que eram vendidos no saguão da casa. Dentro, Stella incluía um convite para a galeria onde expunha os cilindros de vidro (chamados por ela de vasos) que vinha esculpindo de tempos pra cá. Havia sete anos, por motivo que não explicou a ninguém, tinha deixado de lado a função de atriz e investido nas artes manuais. Mas o mundo artístico não aprecia os que migram de um nicho para outro, e o público também não gosta de quem os abandona, então não foi simples a aceitação daquele movimento cercado de mistérios. De início esculpiu uns animais diminutos, talhados em barro e pedra. Na tentativa de traçar uma relação entre a moça das telas e as figuras confusas sem olhos nem fuça que dizia ser agora sua arte, os fãs não compreenderam por que havia largado uma carreira de sucesso e se isolado a produzir deformidades. Imaginavam que fosse um hobby passageiro para tapar algum desequilíbrio de temperamento, coisa de artista. Os anos correram, e Stella, cada vez mais retraída, esculpia. Precisou parar de atuar inteiramente porque aquilo que parecia satisfatório para a plateia encontrava-se muito aquém de suas pretensões, e já não tolerava a frustração de nunca atingir o ponto vislumbrado. Se continuasse repetindo as fórmulas que se impunham sempre que lhe faltava coragem para catar nas profundezas – por medo que lhe doesse chafurdar em lugar tão escondido –, temia sedimentar o desvalio e jamais conseguir ser uma artista de fato. Ela não queria mais se parecer com outros intérpretes, precisava começar a se parecer consigo mesma.

Foi buscar-se no desconhecido.

Só havia mexido com barro na escola, de brincadeira, em aulas de artes plásticas que não eram levadas muito a sério. Teria que começar do nada. Ótimo, partiria sem vícios, respondendo a demandas internas. Escolheu a escultura por ser a mais antiga das artes; desde os primórdios contas e adornos eram esculpidos em osso e pedra para distinguir agrupamentos nômades e criar uma identidade que os definisse. E era disso que ela precisava também, uma identidade. Começou moldando o barro por gostar da coisa tátil, das mãos na terra, de sujar-se, errar, desfazer e fazer de novo. Passava os dias nisso sem qualquer compromisso com o resultado, e fazia porque era necessário. Experimentou também com materiais mais duros, como madeira, osso, pedra, mármore, de todos os tamanhos e cores, com formas figurativas e com abstrações que só faziam sentido para ela. Estava nisso havia sete anos, mas só nos últimos dois começara a despertar o interesse dos pesos-pesados do ramo. Atualmente havia evoluído para a confecção de blocos cilíndricos fundidos em vidro colorido, de grandes proporções.

No catálogo de sua exposição paulista, no MuBE, o texto de Fernando Cocchiarale dizia, "Você pode ver dentro deles, de repente, a luz muda, e eles não têm dentro – apenas uma superfície e um brilho que reflete para fora. A linha entre os dois é tão fina que provoca a percepção de não mais existir. A linha é a fratura de um instante que termina com uma tênue mudança de luz." A mostra vinha sendo visitada por gente séria do setor, e seus "vasos" começavam a conquistar, por fim também, alguma admiração popular. A fase era boa tanto nas artes plásticas quanto nas artes anteriores, porque o espetáculo com o qual regressava aos palcos trazia também uma atriz amadurecida e firme. O afastamento havia surtido efeito e, ao contrário do que se dava antes do recesso – quando levava suas tormentas trancadas dentro, enquanto firulas dispersavam seu público por aromas perfumados e suaves espumas –, agora feridas expeliam odor até nos aspectos mais cômicos do texto. Era um belo espetáculo este que a trazia de volta. Então, naquela noite, como nas outras, o saguão estava lotado após a apresentação. Ao chegar, com o ritual dos autógrafos pelo meio, João se pôs de escanteio e observou enquanto ela atendia o público, sentada atrás de uma mesa, solícita. Passado um tempo, ele se colocou no fim da fila, imitando os demais. Stella não o viu. Estava aflita. Dentro dela duas forças: uma firme e desembaraçada, que conversava, assinava e sorria, e outra, aturdida e vulnerável, que se perguntava por que o homem ainda não tinha aparecido. Viria desta vez? De repente, ao subir as pálpebras para entregar um programa assinado, seus olhos colaram nos castanhos de João. Ele abriu um sorriso de moleque e esperou, maroto, do outro lado da mesa. A atriz baixou os olhos para conter o riso. Havia algo esdrúxulo naquele arranjo, e não era pelo fato de o rapaz carregar uma inadequada mochila que o fazia parecer uma tartaruga de proporções equivocadas, mas porque ela desejava e não podia jogar tudo para o ar e pular no pescoço da tartaruga. Se ele tivesse tentado não teria conseguido aparência menos sedutora, e nada disso importava um vintém. Mais tarde contou que havia se preparado para dormir com ela em seu hotel, Se fosse o caso, disse. Como assim? Essas coisas a gente não pendura nas costas, a gente disfarça, pelo menos até chegar a hora. Eles ainda não haviam dormido juntos, e depois da Cracolândia (que no quesito romântico deixava a desejar) João faltara a um encontro marcado e a seguir foi deixando uma penca de torpedos se dispersar no ar das inconstâncias. Então, agora, a mochila da trepada deveria estar, no mínimo, customizada como assunto de trabalho... Não é assim que se faz? Não. Não com esta parelha. Naquele momento, naquele saguão, ainda não existia qualquer acerto entre eles, pouco havia além de um interesse, a ser – como impunha a discrição natural de ambos – preservado da curiosidade alheia. Intimidades, se houvesse, ficariam para a intimidade, e qualquer sentimento que despontasse seria abafado. Ali João era plateia em pé na fila aguardando autógrafos da atriz-escultora cujo talento apreciava muitíssimo, a julgar pelos seis programas/convites em suas mãos. Os olhares trocados – pólvora – dissiparam-se, fugazes retinas a soluçar. Ela devolveu-lhe os programas que tentou mas não conseguiu assinar, e pediu sem palavras que pacientasse mais alguns minutos enquanto terminava a tarefa de todas as noites. Em minutos, disse sem dizer, Serei inteira sua.

Rumaram para um restaurante qualquer porque ele não havia cogitado possibilidades ou feito reservas. Durante o jantar houve carícias e vinho até ficarem tontos. Ambos contaram intimidades trágicas, e vergonhas secretíssimas foram reveladas à mesa. Tendo conversado por dez anos, decidiram ir para a casa. Dele.

A trepada não foi boa e ela fingiu. Ele se disse contente por ela ter gozado. Ela não conseguiu dormir. Ele não dormia mesmo. Tomaram remédio, ele um e meio, ela, meio. Dormiram dopados.

Pare, Stella! Não vale assim. Você não vai poder planar por cima de um sexo sugerido desde a segunda página como se fosse assunto trivial. Nunca é, menos ainda aqui. Mesmo não tendo se mostrado determinante para o futuro do casal, o que aconteceu naquela primeira noite foi especial pelo inesperado dos fatos. Os dois foram para a cama. Foram para cama porque estavam na casa e era o natural àquela altura. Houve poucas preliminares com nenhuma excitação, mas seguiram nos procedimentos porque, uma vez principiado o sexo, seria constrangedor interrompê-lo antes de atingirem algum dos desfechos previstos. Logo se entrou naquela mecânica de fricção, que repetida por algum tempo costuma levar os homens ao gozo, e que no entanto bem pouco faz pelas mulheres. É uma ironia do amor que machos e fêmeas precisem de estímulos tão diferentes ao praticarem uma atividade na qual estão engatados uns aos outros (numa busca individual, paradoxo dos paradoxos!), e é surpreendente que, ainda assim, tantas vezes se chegue a um prazer comum. O gestual pode ser desengonçado, a coreografia tosca, os parceiros feios, gordos, amarelos, brancos, falantes ou mudos, só o que não pode haver é a ausência de um desejo mútuo em espiral crescente. E isso não apareceu naquela noite. É provável que João tenha ingerido alguma medicação para não falhar na hora. Ela percebeu, e tendo percebido sentiu-se desmerecida: como podia aquele homem saber de antemão que não conseguiria se excitar com ela? E como foi que, estando tudo a correr bem, um vazio estufou-se pelos lençóis assim que deram o primeiro beijo? Num relance, o afeto inteiro se encolheu ao canto da cama, e então caiu no assoalho e por lá foi esquecido junto com o frisson, os olhares, as intenções e a brincadeira. Dali pra frente tudo foi uma corrida em direção ao esperma que precisava jorrar pro jogo acabar. Demorou. Demorou muito. Era o remédio retardando o ato. E era a falta de tudo o mais a não preencher. A não preencher.

Manhã seguinte

Ainda na cama, o homem que havia sobrevivido bem ao sexo naufragado, por não se saber náufrago, sentia-se firme. Contou que a observou enquanto pegava no sono e que ela dizia coisas desconexas. Stella disse de uma vez que assistiu a um vídeo, Com aquele jogador de futebol lindo do Barcelona, ou do Real Madri, como é o nome? Cristo! Casado com a ex-cantora?! Oh memória. Enfim, foi numa galeria em Londres, com vários monitores dispostos de forma que a gente via o jogador dormindo e fazendo mínimos movimentos, piscando levemente, se contorcendo um pouco, lambendo os lábios, tudo à altura do rosto do público – a maioria, mulheres –, dando a sensação de estar na cama com ele. O mulherio ia ao delírio na exibição, ela contou, ainda mole de sono e de vinho.

Não havia nada para comer na casa do rapaz. Ela... (Penso adotar um S. enquanto falar na terceira pessoa, me sinto meio cabotina usando meu próprio nome, como se fosse o Pelé falando do Pelé, afinal, ele é rei e esta aqui... bom, talvez varie. Experimento, temos muitas páginas pela frente.) S. andava pela casa vazia, meio nua, com uma camiseta dele. Tomaria banho no banheiro dele, usaria tudo dele. Lá pelas tantas, o moço feio e a mulher saíram pra tomar café na rua, ela com roupa de ontem, ele de camiseta amarela e feia também. S. engoliu a afronta estética com dificuldade. João não parecia tão interessante quanto na noite anterior. Talvez aquele diálogo afetivo-sexual (até então pouco empolgante em ambos os aspectos) não levasse a lugar algum. Ao contrário dela, que acordava com o humor nas alturas (com tendência ao declínio, é verdade, à medida que a realidade ia se impondo hora a hora), ele parecia do tipo intratável pela manhã. Para diluir as pesadas emanações atmosféricas, S. discorria sobre o poder dos signos, que, no Oriente, determinam decisões fundamentais: casamento, escolhas profissionais, e blablablá. Ela acreditava, ele não, e blablablá. Somando o papo ecológico do atum com este de agora, a atriz corria forte risco de o rapaz feio considerá-la uma reles e fútil... atriz. Acontece que S., por temperamento, se deleitava em correr riscos. Neste caso o prazer era dobrado pelo fato de que tudo elevaria de padrão se João não mordesse a isca. (Havia uma complexidade naquela engrenagem que precisava ser lubrificada por meio de lances calculados. Sem um plano tudo poderia se paralisar a qualquer instante; essa era a percepção da moça, que não estava longe dos fatos.) Mudando de estratégia, portanto, ela jogou pra ele uma pergunta sobre a relação partida que ainda o dilacerava e, no instante seguinte, percebeu que fora péssima ideia. Estimulante para ele, que desandaria a falar com entusiasmo febril, mas incômoda pra ela, que se viu obrigada a escutar o que não queria.

A defunta era um deslumbramento, tinha lindos olhos despencados, em perfeita desarmonia (céus!), como os da Charlotte Rampling, e havia inundado seus dias com uma leveza perdida desde a infância: por três anos fora feliz, radiante como nunca imaginara ser ainda possível. Até que um dia ela morreu, e ele descobriu, no velório, que a criatura levara uma vida dupla desde o instante em que se conheceram: a deslumbrante tinha um amante amantíssimo, que apareceu por lá e se desmanchou em lágrimas em cima do caixão, numa cena digna da Anna Magnani. Os detalhes do relacionamento de princípio ao fim eram sórdidos, e ele estava, havia oito meses, se recuperando do choque. Porcamente.

O café da manhã aconteceu numa padaria sem charme. S. se desdobrava para elevar os ânimos que haviam baixado a níveis sedimentares, e João ali, desfibrado e triste, sem fazer qualquer esforço, nem um gesto de cordialidade que fosse, para suavizar a tensão. Depois de um pão com bromato acompanhado de café morno ele a deixou num táxi. Num desajeito de dar dó, disse que passaria o dia com os filhos, mas que, Se quiser, podemos nos ver à noite, eu ligo mais tarde. Como toque de misericórdia, alertou-a para que não se animasse com nada do que ocorrera (como se houvesse motivo), pois ele era "um organismo truncado, defeituoso, e sem conserto".

A gente adestra, disse a moça com uma piscada.

Trinta minutos depois

David Beckham. Minha memória está
evaporando, mas não minha vontade de viver.
Não tenho compromisso com o passado, mas
ainda estou triste. Esse sou eu agora. Você
me faz bem e espero te fazer o mesmo. Ahhh,
e sou inadestrável. Beijos carinhosos.

David Beckham, bingo!
Inadestrável, veremos.

Dez da noite

Ela estava dentro do porão teatral, quando ele fez o contato prometido, por... ora, SMS. Ela só veria na saída, e, se não fosse por esse detalhe, haveria ainda o complicador do telefone não pegar nos porões do edifício onde ficava a sala de espetáculos.

Stella, estou aqui com os pequenos. Você deve
estar labutando. Um beijo bom daqueles pra você.

À saída do teatro, ela respondeu:

> Eu não sou louca como você sugeriu,
> brincando ou não, não me interessa
> anyway. Sou leve. Já você João, eh
> instável, volúvel. E deselegante. Boa noite.

Deselegante? Instável? Volúvel? Gêmeos,
ascendência em Peixes. É isso?

Stella começava a se cansar do padrão "ficou bom eu fujo". Apesar de tudo, estava se envolvendo, e a repetição maníaca daquilo, assim como o mecanismo que obrigava a partir dela toda iniciativa, atormentava e roubava a paz em que se instalara confortavelmente havia um par de anos. Quando juntos, na maior parte das vezes João se mostrava amável e interessado, mas ao soltar dez pitadas de entusiasmo retroagia sempre trinta.

Essas coisas não se contabilizam, mas a mecânica era assim, e o fato é que custava recuperar os ganhos após as indelicadezas que se seguiam. Por que as omissões? Por que as desatenções sistematicamente se sobrepondo ao fluir do afeto? Ela precisava entender. Pra seguir ali precisaria amornar o temperamento, tarefa dura para uma mulher de sangue quente. Talvez a compreensão ajudasse... Pobre da razão a somar fatos para deduzir conclusões: aritmética pra principiantes no mundo dos logaritmos.

Trinta horas mais tarde

Tendo engolido a seco todas as perversidades que elaborara mentalmente, Stella escreve um SMS em resposta à provocação da noite anterior. As alfinetadas sobre gêmeos com ascendente em peixes comprovavam que João havia mordido a isca e a considerava tola, ou pior e mais provável, fingia considerar, só pra machucá-la. Puto!

> Não fui tomar uma cerveja num boteco, eu
> transei com você, em sua casa, dormi ali, abri
> uma porta que estava bem fechada. Você me
> responde, no mesmo dia, com desinteresse.
> Se veste de pai e não quer me ver. Ora, fosse
> delicado, fizesse um pequeno movimento.
> Tentasse. Quem sabe, dando uma chance
> ao bem estar, você saísse dessa melancolia
> flutuante? É só isso. Desejo seu bem, você
> deve ser um homem bom, apenas está
> num momento ruim. Um beijo, daqueles.

Eu não me visto de pai, Stella. Sou
pai. Um beijo, daqueles.

Eu queria fugir e ainda quero, mas tinha medo e ainda tenho. Medo da solidão e com a solidão o medo de maiores sofrimentos. Sou o professor Isak Borg em *Morangos silvestres*, do Bergman, que sonha com o fim; o castigo que receberá por suas falhas em vida será sempre "o de sempre", a solidão. Quero escrever. Vacilo e forço-me a continuar. A mediocridade de meu drama me cobre de ridículo. Vejo a cara enfastiada do leitor. Sofro(?) a tentação de falar na viagem, é o tema que me tem afigurado como o mais tentador. Mas a própria expressão "viagem" como alusão à morte me incomoda. O suicídio só deixa de ser ridículo quando passa à execução.

Munido, informado, possuo facas pontiagudas, comprimidos, revólver, e há o parapeito da janela em que desafiei a noite com um salto que permanece enregelado dentro de mim. Volto para a eternidade de onde nunca deveria ter saído, já morri pela metade. Pensei, armei o pulo, mas não fiz. A noite, a faca, as conjecturas sem fim, tudo por nada. Eu não tenho o que é preciso, nunca tive, sou um fraco sem coragem.

Àquela época eu me esgotava durante o dia no trabalho e dopava os miolos à noite para esvaziar as horas. Às vezes buscava a companhia de uma gostosa vazia, das que me cercavam na agência atraídas por minha aura depressiva, mas a coisa funcionava mal e pelas tantas o simulacro de Olacyr de Moraes entristecido me sufocava, e eu sumia de onde estivesse sem dar explicações.

A vida corria assim quando pedi a uma conhecida que me apresentasse a Stella. Dias antes, o MuBE havia inaugurado uma exposição de esculturas suas, e eu andara por lá, conferindo. Eram uns cilindros de vidro fundido com mais de metro e meio de largura. Foscos nas laterais com a superfície lisa, pareciam blocos recém-cortados de gelo, e, dependendo do tipo de luz e da hora do dia, os tons variavam do branco para o azul e o violeta. Fiquei intrigado ao ler no jornal que seus primeiros trabalhos – depois de abandonar o teatro e migrar para as artes plásticas – foram figuras intencionalmente feias e diminutas moldadas em barro. O que a teria empurrado para as belas formas de agora? Claudia Luca escrevia uma coluna na *Folha* na qual publicara, naquela semana, uma longa entrevista com a artista. A conversa não tocava nisso, mas ainda assim me prendeu a atenção. Stella falava de modo irreverente e não usava o jargão de sua turma. Tinha o pensamento livre de modismos e nada do que dizia soava calculado demais. Na foto que ilustrava a matéria a expressão de seu rosto e corpo era tão despojada, que, sendo uma mulher bonita, estava também atraente. Como toda a gente eu sabia dos eventos pregressos de sua vida, e o conjunto, associado à matéria do jornal, deve ter me levado a crer naquele momento que esta criatura (se alguma) conseguiria mobilizar o bloco de ferro em que meus sentimentos se haviam fixado desde a debanda da psicopata. Os blocos de Stella eram de vidro. Translúcidos! Sólidos e reais! E eu o que era? Perdido entre uma separação inconclusa e a falta de estímulo para qualquer atividade que não o luto (sendo o suicídio por ora impraticável), eu precisava de um escape. Seria Stella?

Dias antes havia encontrado o irmão da psicopata num restaurante noturno. Pela primeira vez, desde o fim de nosso casamento, via alguém do núcleo duro dela. Estava com a mulher e fingi não notá-los. Ficaram em dúvida se era mesmo eu, pois tinha emagrecido uns dez quilos naquele período. Ao final do jantar, vieram falar comigo. Gelei. Foram carinhosíssimos, não tocaram no nome dela, beijaram e falaram das saudades de mim. Se fosse um encontro da minha família com ela haveria agressões e cusparadas.

Eu estava acompanhado de uma das moças que descrevi há pouco. O casal olhava para ela, para mim. Obviamente se espantaram com minha magreza, mas não fizeram um único comentário – sorte, pois eu teria dito que me livrara de um câncer. Uma tragédia nas duas interpretações.

Tentei tirar conclusões da receptividade afetiva.

Teria sido sacramentada uma enorme cagada da vaca? Foi isso? Ou não? Eu estava lendo errado? Fiquei, nos minutos seguintes, confortado, como que vingado.

Mas... O encontro desencadeou transtornos diversos que foram me derrubando nas horas subsequentes. Tomei remédio. Acordei com química na cabeça. Dormi de novo, já sem efeito das pílulas. Pesadelos horrorosos de abandono. Acordei chorando forte. Levantei e, numa excitação esquisita e irracional, tentei escrever um email curto ao casal dizendo que tinha sido uma boa surpresa e que eu sentia carinho por eles. Para localizar o endereço do irmão, achei um email antigo da psicopata, afirmando que queria se casar comigo. Choque. Fato é que, um mês depois, ela foi contratada para produzir um documentário sobre poluição em Guandong, na China. No mês seguinte estava dando para o amante em supostas viagens de trabalho, o que eu viria a descobrir quase um ano depois. Ela foi real?

Sei lá. Ela era a mulher da minha vida, para o bem ou para o mal. Preencheu uma engrenagem qualquer de carinho e amor. Também de ódio, traição e sofrimento. Nunca mais a vi. Fui atropelado. Agora sou um aleijado afetivo. Eu não consigo perdê-la.

Afundado nesta areia lamacenta sem qualquer esperança ou vontade, a figura do jornal fez piscar em mim uma chispa de interesse. Por isso telefonei a Claudia pedindo que me apresentasse a Stella. E, quando esta aparentou não me notar à mesa na noite de lançamento do livro de um amigo comum, compreendi que o movimento fora inútil. Não havia mesmo alguém por quem se interessar, eu já não era nada. Nem sei por que insisti. E quando, após o almoço do segundo encontro, veio o convite para assistir à peça com que ela retomava o ofício de atriz, aceitei, apesar de meu desânimo pelo teatro nacional, e foi sobretudo para colocar uma pedra sobre aquela paspalhice que não levaria mesmo a lugar algum. Stella tinha um entusiasmo infantil que contagiava o entorno. Eu não estava imune. Por alguns instantes de nossa conversa no almoço – dessa vez sentamo-nos frente a frente e falamos e falamos –, despertei quase que inteiramente do habitual torpor. Mas eu não era homem para uma mulher daquelas nem em circunstâncias normais, muito menos agora, desmotivado e suicida. Imaginei-me entediado na plateia. O tédio jogaria lucidez sobre minhas tolas fantasias: prometi assisti-la aquela noite.

Não vi o espetáculo propriamente, ao menos não da forma como os outros o fizeram, não havia concentração para tanto. Mas gostei do que percebi, gostei dela, sem trejeitos ou macaquices. A figura serena de Stella no palco me cativou. Não fiquei para cumprimentá-la mas, durante a semana, em casa e no trabalho, me peguei pensando no tom de sua voz, na percepção invulgar que parecia ter das coisas, no riso, na forma como mexia os braços muito soltos ao lado do corpo. Isso dos braços eu percebi quando saiu correndo atrás de um táxi sem paciência para esperar que o fizessem por ela na porta do restaurante. Havia com o que se encantar.

Na terceira vez em que nos encontramos, foi para jantar, após o teatro em que estive a buscá-la. Sentamo-nos à mesa que ela escolheu e o ambiente em volta sumiu. Num impulso urgente, como se houvesse uma necessidade de ambos, desatamos a contar intimidades. Ficamos nisso por horas, entre risadas e lágrimas. Sem constrangimentos. Ao falar da psicopata, contei-lhe uma parte da história, depois, não sei bem por que, tive o desejo de que estivesse morta (a outra), e matei-a. É possível que fosse uma estratégia inconsciente de abrir terreno para um novo romance. Ainda não sentia qualquer desejo consistente por Stella, eu a havia procurado num dia de descuido, gostava dela apenas, não era repetitiva, dizia coisas inesperadas e não fazia gênero. As horas passavam rápido a seu lado. Seu jeito e a curiosidade com que me olhava inspiravam confiança. Tive vontade de lhe revelar segredos. Decidi que não haveria mentiras a não ser por aquele pequeno deslize que se infiltrara nas brechas da conversa e que não dava mais para consertar, poderia macular o fluxo que já corria entre nós. Sepultada ali, a psicopata-defunta virou uma verdade de minha relação com Stella, uma verdade que me aliviava por seu delicioso caráter transcendente: a ex-amada passava da impossibilidade ao Nada.

Naquela noite, tinha comigo o que precisava para dormir fora de casa, estava preparado para ir aonde Stella determinasse a fim de darmos sequência natural às coisas. Ao sexo. O vinho havia me relaxado um bocado, mas não o suficiente para escalar o Everest à minha frente. Na cara dura não ia dar, então, ainda no restaurante, tomei um comprimido para me garantir. Apesar das carícias trocadas no jantar – sem que demonstrasse qualquer preocupação com as pessoas em volta, todas interessadas em cada gesto seu –, ao entrarmos no carro Stella recuou. Não sabia se queria dormir comigo. Será que percebia meu nervosismo? Quase estimulei sua desistência, tamanha era minha aflição. Dentro de mim, um único pensamento martelava prognósticos de fracasso! Mas ela cedeu e acabamos seguindo para minha casa. Acho que tomamos mais vinho e fomos para a cama. Torci para que sua roupa escondesse um corpo insosso, e que, ao desabotoá-la, surgisse uma mulher de seios murchos, ou alguma pequena deformação que a humanizasse. Mas nada. Sem roupa não consegui encontrar qualquer desacerto para facilitar a empreitada. Stella estava nua em minha cama e não havia desejo em mim. Além da agonia não havia nada. Para meu alívio consegui uma ereção. Tendo penetrado sua carne, galopei. Galopei forte e enlouquecido até chegar ao fim. Cavalguei quilômetros, não sei quanto tempo levou. Ao acabar me dei conta de que havia gozado e ela também.

Nenhum prazer, tensão pura, não ia dar para repetir. Eu precisava me livrar daquela mulher.

Uma semana se passa

É noite de festa na Academia Brasileira de Letras. Os imortais estão todos presentes para a posse do poeta e artista plástico Sergio Bauman. Vestida com uma saia listrada de cores vivas e laço na frente, blusa de seda sem manga, um fio de pérolas intercaladas com mínimas conchas de ouro ajustado ao pescoço, os cabelos presos num rabo de cavalo liso, Stella chega ao evento acompanhada de um amigo. Ou melhor, chego, eu chego, são segredos o que revelo aqui, quero você perto, leitor, a um palmo de distância. Ao seu ouvido sussurrarei, e prometo seguir assim até o final. Ou quase. Ok, sempre que for preciso cochichar. E quando ele entrar por estas linhas, para interferir no relato... aí, por ele não me responsabilizo.

Sigo. Ainda é cedo e nos sentamos em bom lugar. Bato, por acaso, o olho na cadeira ao lado da minha e o nome na tira que reserva o assento é o de João. Céus! Penso em sair correndo mas havia insistido com o amigo para nos instalarmos num ponto central, de forma que seria um estorvo para todos os demais, de ambos os lados, se me movesse àquela altura. Permaneço sentada torcendo para que ele não apareça ou para que se atrase a ponto de algum outro tomar-lhe o lugar. João pensaria que eu havia armado a situação, não dava mesmo para acreditar que, entre tantas cadeiras, tivessem me colocado praticamente em cima dele. Após uma hora de espera, comecei a me sentir desconfortável em meu assento, sofro dores no corpo devido a acidentes diversos que me quebraram ossos e romperam tendões, não fico bem na mesma posição por tempo seguido. Levanto-me para aliviar a tensão, discretamente, movimento as articulações, giro de costas, e pasmo; os meus olhos pousam na parada natural do giro em ninguém menos que João! Em pé às minhas costas, cinco fileiras para trás, tem os olhos voltados para mim. Está bonito o homem feio, e leva uma expressão demolidora no rosto: ternura.

Canalha!

Trocamos olhares com nuances que diziam uma babilônia. E eu derreti.

Você fica linda de imortal.

Veja quem estaria sentado a meu lado.

Por mensagem também, envio a foto do nome dele na cadeira ao lado.

Meu deus... Perdi... Queria você no meu colo.
Meu compromisso não é com o passado, sua
chata. Eu sou doido mesmo, você tem razão
na instabilidade, na melancolia flutuante. E você,
mais esperta que tudo, conclui logo que não vale
a pena. Você superou em rapidez o geminiano
com ascendente em peixes. Está na minha frente.
Mas essa coisa não é uma corrida. Fiquei triste.

Ao final da cerimônia nos procuramos pelos salões, ele veio abrindo caminho de um lado, eu de outro – como nos filmes – e, como se fôssemos só nós ali, nos abraçamos por dez noites sem fim. Desgrudamos com dificuldade. Devolvi meu coração deslocado para seu local de origem e me recompus para fazer as devidas apresentações. O enlace havia demorado mais do que eu saberia explicar. Por sorte, o amigo que me acompanhava, elegante, nada perguntou. Separamo-nos.

Já em casa, passo-lhe uma mensagem:

Aquele abraço valeu minha noite.
Tao ruim deixar coisas mal paradas.
Ao menos ali, um sentimento bom.

Gostoso demais.

João é publicitário. Para puxar conversa, passo-lhe outra mensagem:

> Me ajude. Estou sendo consultada para MC de um evento na inauguração da empresa Y. Preciso ter certeza que é gente séria e que não tem nada ligado a governo, partidos, política. Você faz campanhas pra essa gente, saberia me dizer?

Vou ver e lhe digo. Cuidarei dos seus interesses

> Cuide direitinho de meus interesses já que nada o interessou em meus dotes físicos ou intelectuais

Chata!!! Você é linda de morrer!!!!! Eu fiquei tremendo, você não percebeu????? Você não sabe o que é para um moleque mental como eu sair com um mulherão como você. Dote físico? É um patrimônio da humanidade. Eu fiquei com medo de você não gostar, de dizer: "ahhh, era isso?" Inteligente, sagaz e muito cínica. Amo teu cinismo. Cínica e gostosa é mistura destruidora. Cínica no bom sentido. Do humor.

Agora você diz? Como eu podia saber?

Você não se esforçou, não fez uma
graça, todos os elogios foram para
Charlotte Rampling, e eu, que não
estou acostumada e nem gosto de ser
vista como uma qualquer, no papel de
Mariadasilva que você usou, e não gostou

Você, mala, perguntou se ela era bonita.
Como eu iria imaginar que a mulher mais
linda do mundo iria ligar para uma mais
feia que, além de tudo, era mau-caráter?
Insensibilidade minha, ok. Mas também took
for granted your beauty beyond border

"A Charlotte Rampling era tão linda q
até dói!" O q você podia ter dito pra
pessoa q havia passado a noite a
seu lado, era algo q fizesse referencia
a esta, e não à outra. Eu levantei a
bola pra você cortar seu tonto.

Já faz parte do adestramento? Ou eu já fui...

E você podia ter me levado pra jantar
num lugar diferente e no Mercado
Municipal de manhã, podia ter se
esforçado pra ser criativo. Eu preciso

de manifestações d afeto, de apreço,
muitas, sem elas fico onde estou
q é um bom lugar também. E mais
tranquilo. Gostei tanto d levantar da
cadeira imortal e deparar com você, e
você com uma expressão terna, boa,
amiga. Me amoleceu tudo por dentro.

Amoleceu... sei. Só apanhei.

Como assim? Houve um abraço
d amor tamanho do mundo!

Brincando... Adorei o abraço!!!!! Eu grudei

Depois fiquei pensando... Aquele
monte d homem num mesmo
aviãozinho, não pode ter prestado
a conversa na volta pra Sp...

Pior é que foi um tédio.

Que chatos, ninguém
falou uma cafajestada?

Porra nenhuma.

Eu poderia ter ficado ali mais uns 10
minutos agarrada em você, mas nas
circunstâncias..., já estava passando

do tempo da cordialidade. Quando

acabou estava d perna bamba

e tinha q voltar a ser formal

Comigo igual.

Entrei com Cadu Costa no beija mão

de nosso novo acadêmico, só eu e

ele. Falei, Sergio Bauman vou dizer

uma coisa q você não vai ouvir d mais

ninguém esta noite, você eh o homem

mais lindo q eu conheço, e só pra você

entender a categoria d lindo, em 2o

lugar esta o Chico Buarque. E ele, O

Cadu nem entra na equação?, ha ha ha!

E eu, O Cadu eh o 3°. Rimos todos.

Agora é a sua vez de ser deselegante...

Mas eu estou falando d um senhor d 80

anos, feioso, era só pra rir, sabe? No

meio d toda aquela erudição, algo fútil...

Mas o Cadu tem quanto? E o Chico? Tô

brincando, sua boba!!!! Mesmo sem saber se

você tem alguma história com ambos, eu não

ligo. Aquele abraço valeu por muita coisa.

Cadu só entrou na conversa porque estava ao lado. E o Chico, bom, tem 70, e eh hors concours, temos todos q reconhecer. Se ele t quiser, por ex, você tem q dar pra ele, é obrigatório. E nunca houve história alguma com Sergio Bauman apesar d dizerem o contrario, nunca rolou, eu gosto da mulher dele, entre outros motivos.

Posso fazer uma dedução lógica?

Não!!!
Sábia resposta. Ela revelaria mais uma deselegância minha. E um certo sadismo seu. Êta dupla boa. Você tecla bem neh? Erra poucas letras. Quais dedos usa?

Aqueles...

Uuuiiimmmm. Que o gato comeu? Q você também usa pra outras atividades? Não sei se entendi...

Achei que se lembrava que eu fiz um cafuné em você. E você disse que não precisava.

De noite? Quando? Eu já tinha tomado o Stilnox?

Sim...

Não estava mais entre nós então.

Foi uma frase do tipo: não precisa fingir
carinho, vá logo no assunto. Rs. Eu também
fico assim, franco. O problema é que a gente
só fala a verdade quando toma Stilnox.

Naaaao!! eu adoro cafune. Gosto e não
quero dormir pra continuar usufruindo. No
caso deve ter sido pra não desperdiçar
o remédio q em geral não uso.

Ou para não dormir...

Pra rolar mais um sexo? Será? Não
sei. Tomei o stilnox pra dormir... Não
m lembro mesmo. Fui grosseira?

Eu não julgo uma pessoa que
acabei de conhecer. Observo.

Well, não respondo por mim quando uso
hipnóticos. Você vai continuar com medo
de mim fugindo um pouco querendo um
pouco e nunca avisando quando eh o q?

Não. Entrei numa reunião, linda.

Cristo, fugiu de novo, difícil evoluir. Aqui só se caminha a periferia. Vou ter que apertar ou ele some, nunca vi tão escorregadio. Bom, o máximo que pode acontecer é um não. Lá vai, na pressão...

> Amanha estarei em Sampa. Você passa no meu hotel as 10:30 e me leva ao mercado, a feira, pra andar d bicicleta ou dar um pulo no Japão, você resolve, mas esta marcado!

Sim.

Manhã seguinte

João aparece com a filha a tiracolo. Por dois segundos achei estranho... assim, sem combinar? Seria para evitar intimidade, ou, pelo contrário, para me aproximar do que tem de mais íntimo? Ou seriam ambos, num mecanismo paradoxal característico daquele homem que eu não conseguia capturar?

Somos apresentadas e gostamos imediatamente uma da outra. Seguimos todos de táxi para o Mercado Municipal. Nunca havia entrado ali, mas se parecia com outros que me foram emergindo lá dos *embaçamentos* da memória. Lembrei de uma manhã no Mercadão de Planícies, cidade de minha infância, com minha mãe,

Bernarda, a comprar vassouras e barbantes, fitas, papéis, uma melancia!, aquilo chegava entrecortado de impressões com cor. Me apareceu o mercado de Barcelona, onde certa vez sentei num banco alto do balcão sujo de uma tenda que servia frutos do mar em pratos feitos, havia algumas escolhas... pedi *chipirones con huevos* regado a Cava, muita Cava da boa. *Chipirones* são lulas pequeninas e, se você algum dia passar pela cidade e não reservar uma tarde para prová-los, da maneira exata que estou descrevendo, deixará, porque quis, de ver Deus na terra. Veio-me também o mercadão de Santiago, onde certa vez, com amigos, almocei uns caranguejos imensos pescados na Patagônia. Ao detectar a presença brasileira, um garçom se pôs a praguejar contra "nossos inimigos comuns", *Los argentinos rompen cojones!* Todos concordamos com veemência – quem ousaria contradizê-lo? – e aquilo nos rendeu mais caranguejos servidos com o vinho da casa até ficarmos zonzos.

As imagens iam baixando enquanto eu percorria os corredores do Mercado Central de São Paulo ao lado do homem que já não era feio, de mãos dadas com sua bela filha. Tantas semelhanças entre esses estabelecimentos, em todas as cidades, mesmo formato..., falávamos assim, o homem, a filha, e eu, das arquiteturas compridas pra cima e pros lados, dos grandes vitrais nos telhados por onde a luz entra colorida, das ruelas onde circulam aromas de ervas, temperos, produtos exóticos, frutas e legumes! Como eram gordos os legumes! No Rio as frutas são menores, por quê?, seria o solo? Não deve ser, hoje isso se corrige... conversa vai, conversa vem. Por conta da mostra de meus vasos e do recente retorno aos palcos eu andava muito visível em programas de TV e revistas; os passantes se excitavam com minha presença e o ar de surpresa em seus rostos nos divertia aos baldes. Na saída andamos até a 25 de março porque Lica afirmou que eu poderia comprar ali uma capa de celular, que lá se encontraria de todos os tamanhos e tipos. Era sábado e aquilo parecia a Feira de Caruaru, em que nunca estive, mas posso imaginar. Mais ohs e ais, um sujeito, de tão boquiaberto, tropeçou e caiu, Ganha prêmio quem apontar a primeira pessoa magra, uma loura de verdade, qualquer um acima de 1,70, uma linda, um lindo.

Não encontrei a capa.

Almoçamos num chinês com fama de ser o melhor de São Paulo – não é pouca coisa –, mas a comida nos pareceu apenas passável. Chegamos à conclusão de que o chinês era falso, e que todos os chineses de São Paulo – e do mundo! – são coreanos. Seguimos de táxi até meu hotel, sentei-me atrás com Lica, e pelo lado do banco, discretamente, subi a mão até o pescoço de João, enfiei os dedos por seus cabelos e voltei bem devagar para a nuca com a mão espalmada. Fiquei nisso, pra cima e pra baixo, bem devagar. De vez em quando ele alisava meus dedos. Chegamos ao hotel. Só então percebi que estava cansada. Era bom poder relaxar. Os estímulos, as palavras e sorrisos, tanta gente aglomerada, o homem com a filha, seduzi-los, tudo isso me havia drenado, precisava repor energia para estar no palco dali a poucas horas.

Sua filha é adorável

Você é adorável.

Manda a foto.

Ele manda.

Somos lindas.

Rs... O pequeno viu a foto e ficou morrendo de ciúmes por não o termos levado.

Tem um filme d pinguins no canal da National Geografic. Pinguins são pássaros ou peixes? E tartarugas?

Pinguins são pássaros. E tomates?
Fruta ou legume?

Frutaaaaaaaa.

Tartaruga é réptil!!!

Viva o Google

Linda!!!!!!
Nada de Google agora. Nomeie 3 anfíbios!!!!

Jacaré jacaré e jacaré

Primeiro, jacaré não é anfíbio. Depois, eu
diria perereca, sapo e rã... Rs. Quero estar
aí. Você acha que eu me visto bem de pai?

Divino d Pai!
Um anfíbio não pode ser réptil ou vice versa?

Vai de cada um. Michel Temer, por exemplo.

Réptil! E cobra, é Michel
Temer ou eh anfíbia?

Cobra é Temer

Além do Temer q trafega em dois
partidos – moleza pra espécies
sem caráter –, o q caracteriza um
anfíbio? Água e terra, q mais?

"A característica mais marcante dos seres vivos
da classe é o seu ciclo de vida dividido em
duas fases: uma aquática e outra terrestre,

apesar de haver exceções. Estão identificadas
cerca de seis mil espécies vivas de anfíbios
cadastradas no Amphibian Species of the World."

Ahhhh, acontece em
duas fases distintas!

Sim!!!!

Estou lendo um livro sobre grilos,
formigas, insetos variados, e as
vezes répteis. A longa marcha dos
grilos canibais. Bom! Quer q eu te
leia o trecho q acabo de passar?

Oii, é a Lica, eu tô com o celular
do papai por um tempinho

Oi querida. Quando ele quiser
eu leio uma historia pra ele

Eu aviso. Agora eu não tô com
ele mas depois eu aviso.

Oi Stella!!!!!

Foi andar de bicicleta?

Fui!!! Com o pequeno. A Lica ficou em
casa – Adorei o carinho na minha nuca.

Deduzi.

Deduziu o carinho ou a bicicleta?

A bicicleta. Também adorei o dia.
Adorei estar com você e sua filha
linda, inteligente, incomum. Foi
empatia à primeira vista né?

Foi. Eu sabia.
O pequeno é diferente. Pra dentro. Mais sensitivo,
menos palavroso. Os dois conversaram hoje
sobre meu futuro amoroso. Quase chorei de rir.

Conta

Eu peguei um rabicho de conversa. Lica:
"...ela é muito legal e, se fizer o papai feliz, é
isso o que importa." Pedro: "é, mas depois dá
tudo errado e ele fica aí chorando de novo."
Impressionante. Parecem metades de mim

Chorar não mata, já viver deixando
de viver mata e esfola. Né não?

Taí algo que seria melhor permanecer calado. Pra que
uma observação esperta na hora em que o sujeito co-
meça a desfolhar delicadezas do convívio caseiro? Era

hora de deixá-lo seguir... *Parecem metades de mim*, uma revelação singular pra qual não dei importância na hora. Mas devia. Era um indicador do que lhe ia no espírito, uma espécie de confissão de que se sentia partido entre a vontade e o medo. Sim, vez por outra se abriam frestas em seus cantos e sombras, agora percebo. O problema com o sistema de mensagens que havia elegido pra nós – porque foi ele quem determinou como seriam nossos contatos, eu teria preferido chamadas com voz, teria escolhido enxergar a pessoa na minha frente com mãos, pernas, olhares – é que, uma vez enviadas, não têm retorno, e a expressão do rosto não vai junto para suavizar a crueza das palavras, nem o arrependimento vai colado ao gesto que se precipitou. Não tem afago, não tem a hesitação que acompanha cada atitude, não tem nuances. Para alguém, como eu, que não pensa pra dizer, pode ser uma operação desastrosa. De qualquer forma, na lida com um neurótico ferido de amor, é preciso cautela, e certo resguardo viria a calhar. É possível que o resguardo caia sempre melhor, sobretudo quando se conhece pouco as pessoas, mas então, como derrubar os muros que todos erigimos para blindar nossas frágeis intimidades? A dose entre o avanço e o recuo deve ser buscada a cada relação. Meu pai ensinou, Aprenda a ouvir, filha. As pessoas gostam mais de falar do que de escutar. Por mais interessante que pareça o que tem a dizer, aprenda a ficar calada se quiser que gostem de você (e que a escutem um dia, ele deve ter pensado...).

Não aprendi. E naquela tarde fui ficando mais sabida. Que estúpida!

João respondeu.

Concordo. Chorar não mata. Mas eu sofri de um jeito que contaminou todos a meu redor. Vê-se pelo pequeno. Foi um troço brutal e ele viu coisas que não deveria. Acho que em algum momento vou ter que conversar com ele. Eu era uma fortaleza pra ele.

Sei lá, cuidado pra ele não se trancar não ficar medroso e desconfiado. Nada disso presta pra ser feliz. E a gente quer ele feliz, não é?

Sim, claro. Nem sei como abordar.

Fortaleza vazia é assustador... prefiro uma estrutura sólida cheia de coisa lá, misturada, com sentimento, contradição, drive... do q um treco oco macho antigo só fachada com um fiapo d gente por dentro.

Sim, mas Pedro só tem 8 anos... como explico "macho", "contradição", "drive"?

Ele não gostaria de doce se só houvesse
isso pra comer. As coisas são legais porque
existe o avesso delas, and so forth...

Boa. Estou aqui com os dois. Estou feliz, felicidade
leve, mas sólida. Deve ser a comida coreana.

Dia seguinte

Combinamos de almoçar com as crianças no Aurélio e
marcamos o encontro no saguão. Eu tinha selecionado
e copiado, de minha coleção mais primorosa, filmes de
ficção e documentários para uma colega doente. Precisava entregar um pendrive a um amigo em comum
a fim de que lhe chegasse às mãos. Então, depois de
ser apresentada ao pequeno Pedro, caminhamos uma
quadra até o restaurante em que trabalhava o tal amigo.
Costumava frequentar o local e os garçons fizeram uma
festa ao me ver. Contentes por participar da surpresa,
me batiam nas costas e diziam coisas como, Entregaremos pro Franklin, fique tranquila, Que boa ideia! As
crianças observavam minha intimidade com garçons,
e também na rua com os passantes que cumprimentavam e fotografavam, e penso que se divertiam com
aquela mulher que provocava tantas reações num trajeto tão curto.

Sentamos à mesa. Imaginei que os pequenos tivessem previsto um programa arrastado, o pai a tagarelar com a nova desconhecida – que poderia virar namorada – a respeito de assuntos enfadonhos. Havia, como sempre nessas ocasiões, um medidor a avaliar os modos: de minha parte em relação aos filhos (que poderiam ser enervantes), deles em relação a mim, e de João sobre nós. A naturalidade dos comportamentos permaneceu, assim, sutilmente enrijecida. Busquei ser amável e leve sem descambar para o histrionismo e evitei toda pergunta que pudesse lembrar, ainda que sutilmente, O que você quer ser quando crescer. Não eram crianças caprichosas, falavam baixo sem excitação, e comiam de tudo. Foi confortável.

Saímos em caminhada até meu hotel. Na entrada, ainda do lado de fora, João me abraçou suave e se foi com os filhos. De sua casa, passou-me um torpedo:

Quem meus filhos beija, minha boca adoça.

Saudades.

Me too.
Ganhou o mais difícil.

(Junto veio uma foto: eu com o moleque, um menino doce de olhos redondos.)

Respondo:

        Tô cheia de chamego por ele.

À noite, após a peça, passo-lhe uma mensagem:

        Nas asas da Panair :-((

Já??? Foi um final de semana gostoso. Muito.

Aprendi também

        Simbolismo complexo demais
        pra mim, não alcancei

Nonsense.

        O meu tinha uma história com cronologia...

Você é mais inteligente. Mais bonita. Mais
gostosa. Eu não tô nem entre os três primeiros.
Eu tô magrinho. E sou carinhoso. E gosto
de você. Acha que paga o dote, né?

        Magrinho conta ponto. Carinhoso conta
        mais. Gostar d mim e manifestar – são
        fogos a rasgar o céu (ai q cafona!), e
        o dote, se for pagando todo dia um
        bocadinho, tá mais q bom. Vai encarar?

Vou. Vou te encarar. Agora que sei
que o dote é "bão", então...

> Só que você não entende nada de dote seu
> bobo. Nem eu. Como saber? Por ex, um
> negocio de valor, q fica piscando na mente, eh
> seu olhar na ABL quando levantei da cadeira,
> aquilo disse tudo q eu precisava saber.

Então eu não entendo, mas meu coração, sim.

> E houve momentos na mesa hoje,
> você olhando pro Pedro... quanta
> ternura! Eh um mistério qualquer o
> que encanta a gente, não é?

Depois, moça, o número de olhares em sua
direção na ABL quando você levantou, ainda
que não incandescentes como o meu, te
cegaria de tanto piscar na sua mente.

> Só vi o seu.

Dois dias mais tarde

> No pacote do mercado que esqueci e
> você fez a gentileza de me mandar, não
> vieram minhas favas verdes, snif.

Eu providencio, Stella. Favas verdes são favas contadas. Saudades. De seu admirador fiel e interessado. Tenho tentado ser o mais aberto contigo sobre meu trauma recente única e exclusivamente por uma questão de honestidade. Não me puna por minha vulnerabilidade. Nunca a escondi. Beijo com afeto e desejo.

Punir? A que se refere?

"Melancolia flutuante", "compromisso com o passado", "instável", "volúvel", "deselegante", "moleque que se fantasia de pai"... Quer mais?

Moleque foi você quem disse, moleque mental. E tudo isso foi na semana passada. Depois disso estivemos juntos, com seus filhos, lindos. Tudo lindo. Conversamos ao telefone domingo a noite, delicadezas amorosíssimas E aí... você sumiu por 70 horas, hoje é quarta! O q eu fiz nesse intervalo q pareça punição?

Linda!!!!! Por dois motivos. Pegou de fato meu único contrabando retórico ("moleque") e minimizou o resto. Isso é que é molecagem. De resto, o sumiço de 70 horas não tem explicação. Devo ser punido severamente. Elabore a forma mais cruel. Mas faça aquele carinho na nuca... Ahhhhh, que carinho...

Suma se sentir vontade. Fazer o q? Mas voltar
reclamando d algo q já era passado fica estranho.
Sinto sua falta, lembro de você ao longo dos
dias. Por conta de seu silêncio, desenvolvi (de
forma tosca e superficial maybe) minha tese
sobre a depressão. Vou te mostrar. Sobre
depressão em geral, não a sua especificamente,
mas parti da sua, pra tentar entender você.
Seus silêncios me consomem, sua tristeza me
indigna. E eu fico pensando, pensando...

Quem disse que tenho vontade de sumir???????
De onde você tirou isso? Só estou tentando dizer,
gentil e carinhosamente, que você exagerou...

Em q? Diga querido.

Exagerou na minha morte!!!!!! Já diria Otto
Lara Rezende As notícias sobre a minha morte
foram um pouco exageradas!!! E subestimou
a maravilha e o sentimento de êxtase que
tive em conhecê-la. Em poder contar com
sua intimidade, com sua ironia, com seu
carinho. E, é claro, com o carinho na nuca.

Perdoo tudo com um beijo quente e molhado
e uma enroscada na nuca. Sou uma besta.

Então tô perdoado!

O jornal do dia trazia uma entrevista com Andrew Solomon, escritor americano, autor de *O demônio do meio-dia*, especialista na doença. Tendo convivido com a coisa por trinta e um anos, afirmava que o deflagrador é quase sempre algo de fora, e, para a minha surpresa, acrescentava que o mal podia brotar da alegria. Ao contrário do que se propaga, segundo Solomon, a depressão afeta pobres tanto quanto abastados, apenas, sendo menos diagnosticados e com a vida já pouco favorecida, aqueles associam o estado de ânimo às dificuldades costumeiras, considerando o humor corroído algo compatível com sua situação. Pobres não buscam tratamento e assim vão se afundando, permitindo que a doença os desvitalize. Eu lia e pensava em João, que não é pobre mas vivia atolado numa morbidez sem fim. Talvez devesse ter engavetado meus pensamentos; desagradável gente com opinião demais, sobretudo quando trata das mazelas de outros. "O silêncio é o partido mais seguro de quem desconfia de si mesmo", diz La Rochefoucauld.

Pois é, eu poderia pensar e não dizer nada, mas que graça há nisso? Mulher fala para articular o pensamento. Fala mais que homem porque faz mais considerações, e quando se crê sagaz fala mais do que tudo. Talvez os homens tenham uma predisposição maior a agir em cima de suas conclusões depois de ponderá-las, e nós mulheres precisemos falar para ouvir o pensamento despejado da boca, e só então ponderar. E é possível, quase certo, que este seja um estúpido desvio generalizante que, lamentavelmente, se afasta do assunto anterior.

A verdade é que, como eu não podia conversar com João quando sentia vontade, porque ele não atendia ao telefone, e como, nas poucas ocasiões em que me retornava, o fazia por mensagem de texto, a escrita virou uma alternativa para conversas impossíveis. Para pequenas ironias, cinismos incontidos, vinganças sutis. Por isso rascunhei algumas ideias sobre a depressão (que tanto o afligia) e publiquei em minha página na web na esperança de que João as lesse. Ainda não sabia como esses textos afetariam mal a tênue relação que estávamos construindo.

Depressão, uma trip narcísica
A depressão geralmente tem um estopim externo. Aquilo contamina outros setores, vai se alastrando, e uma hora o sujeito se vê desvitalizado, deprimido. Pois me parece que há um instante em que o processo, se percebido, pode ser evitado. Logo no início, quando o sofrimento é quase um deleite de tão excepcional e fundo. Quando aquela coisa dentro mobiliza – tirando da mesmice do quotidiano, da rotina semelhante à de todas as pessoas desinteressantes à nossa volta – e nos destaca da previsibilidade da boiada,

tão trivial... Mortificado, o deprimido se sente mais vivo: melhor que seus pares, idiotas felizes, ele paira acima com sua intimidade secretamente despedaçada (calamitoso desastre interior!). Nesse momento em que o narcisismo está a reinar dentro sem que se perceba, ali é hora de pular fora. Ou então... ficar, e se viciar em si mesmo, nas delícias da reclusão, nos caminhos tortuosos pra onde a imaginação negativada o levará, para consumi-lo até o fim. A depressão tem um quê de vaidade (narcisismo), e sua cura, a meu ver, precisa de um olhar pra fora, para bem longe de si, para um mundo repleto de outros, talvez nem tão idiotas.

Agora relendo este pequeno ensaio para encaixá-lo no relato, lembro-me do conselho de Dom Quixote: "... o início da saúde está em conhecer a doença e no desejo do doente de tomar o remédio que o médico receita."

Não gosto quando me julga. Não gostei dos adjetivos classificatórios, do que supôs ser minha personalidade, às vezes parece uma sentença.

Falo sem pensar. Solto a impressão do momento, e às vezes sou estupidamente enfática sem ter elaborado a coisa antes.

Essas justificativas de nada adiantavam. Para um sujeito que reside no cérebro, sempre imerso em elucubrações, era difícil reconhecer o impulso de falar sem antes analisar à exaustão. Tudo para ele tinha peso, e eu me portava com leviandade por não considerar o seu intrincado funcionamento.

Dias depois do texto sobre a depressão, postei um outro que agora me parece relevante e que não trata de João, mas de minhas próprias sombras.

Sou a fratura. Sou mais a fratura do que as partes que a ladeiam. Das partes, a que se apresenta na frente se aparvalha com o mundo, e entontece para tolerar o que achou por bem sorver com suavidade. A outra vive na sombra. É mais lida, sabida, dramática, viajada, densa, e triste. Ela sabe o que a primeira esquece, por delicadeza, sobre o sentido das coisas e o que foi dito delas. Quando se tratam assuntos doutos, há na das sombras (em seus desvãos), um mundo de elementos para relacionar com as erudições versadas. Mas neste mundo fala-se pouco, bom é observar, aprender... Entre a parte clara e a escura existe uma ravina – um canyon, se diz em inglês, e é melhor. Para ir e vir de um lado ao outro se atravessa esta vala, e não é tarefa para amadores. Ser fraturada implica escolher a face com que se prefere ser vista: a da frente ou o seu verso, clara, escura, elas não se mostram juntas. Em mim a face aparvalhada resistiu melhor à luz e tomou a dianteira. Não sei quando foi, mas aconteceu e eu deixei. A outra, quando surge, vem com minutos de atraso, quando a ocasião já não pede. Por isso às vezes ainda pareço assim, avoada. É que não estou ali, passo horas de meus dias a atravessar um canyon. Isso, ou estou já recolhida no lado de trás, que leva o rosto escondido porque é tímido e fóbico, e, por mais que transcorram os anos e me acostume à exposição, ele não me abandonará. Gosto mais do lado escuro.

Na primeira noite em sua casa, houve um momento em que acordei com sede e percebi que João não estava a meu lado. Fui até a cozinha para buscar algo de beber e, não o tendo encontrado na sala ou em qualquer outro canto, segui até as dependências dos fundos, e ali, num quartinho descascado, com paredes tão sujas que se podia imaginar que uma eventual reforma havia se esquecido daquele cubículo, encontrei-o deitado numa cama mirrada, todo encolhido feito um caramujo fora d'água. No piso de taco solto um livro aberto, *Que é a literatura*, de Jean Paul Sartre. Folheei-o. Um trecho sublinhado dizia: "As recordações e a doce despreocupação de uma infância no campo não existem em mim. Nunca mexi na terra nem fui atrás de ninhos. Nunca plantei nem joguei pedras nos pássaros. Mas os livros foram meus pássaros e meus ninhos, meus bichos de estimação, meu estábulo e meu campo." Havia uma interrupção do sublinhado, que depois voltava: "Platônico, eu partia do conhecimento ao objeto. Pra mim, a ideia era mais real do que a coisa, porque a ideia era anterior à coisa e porque ela se dava como uma coisa." E mais adiante: "confundi a desordem das minhas experiências livrescas com os acontecimentos reais. Daí veio esse idealismo do qual só me livraria trinta anos depois."

Coloquei o livro de volta onde estava e cutuquei-o de leve. João acordou e meio desconcertado me disse que devia ter levantado, Pra ir ao banheiro, não sei, às vezes esses hipnóticos fazem coisas estranhas comigo... e vim parar aqui. Bebemos água, voltamos pra cama e dormimos.

Era provável que nos telefonemas, os poucos que ele permitia, João estivesse pra lá de drogado. Ele vinha se entorpecendo todas as noites ao chegar do trabalho. Com os comprimidos, mantinha a inteligência fulgurante – a astúcia, o humor, tudo ficava intacto –, o efeito apenas afrouxava sua afetividade, e, afetivo, ele se tornava encantador. Alguma saúde havia nisso. Mantinha vigília constante e mal dormia para que nada lhe escapasse à razão. Com uma mecânica tão rígida, seu inconsciente esvaziado devia precisar desses instantes de frouxidão para conseguir se nutrir.

Mas eu ainda não sabia do excesso de comprimidos, da disfunção emocional. Não sabia mesmo de nada.

O *telefonema amorosíssimo* de domingo à noite provavelmente não deixara registro em sua memória. Longa como foi a conversa, solta e sentimental, é certo que aconteceu com auxílio dos psicotrópicos e que depois sua mente escondeu o "lapso" em alguma zona sombria. Elaboro demais? A cabeça dele, enfim, devia ter um setor de armazenagem, uma espécie de local onde as verdades com as quais não estava pronto para lidar ficavam de quarentena. João havia mencionado que só era espontâneo (acho que a palavra foi *verdadeiro*, ou *sincero*) quando tomava hipnóticos. Não dormia, e, doido, abria comportas de emoções represadas que o deixavam impulsivo. O processo devia permitir até que dormisse mais leve, desobstruído, e seria perfeito se o homem não se esquecesse de tudo em seguida. Com o tempo fui percebendo que ele preenchia os vazios formados nesses intervalos com comentários que eu soltava aqui e ali e que ouvia calado para não se denunciar. Imagino que nada dizia também porque se assustava ao flagrar-se em gestos sentimentais que não praticaria de cara limpa.

Um sujeito deprimido resolve se matar porque o mundo não vale nada: está num conto de Dostoiévski chamado "Sonho do homem ridículo". Um dia ele vê uma estrela no céu e resolve que chegou a hora. A caminho de casa, decidido a se liquidar, encontra uma menina, ajuda-a, segue seu caminho, chega em casa, pega um revólver, e dorme. Sonha que se mata e vai para um lugar feliz em que as pessoas se sentem plenas, se comunicam com árvores por telepatia, ninguém fala tamanho o estado de graça. Incomodado com a impessoalidade e o silêncio, o homem busca se relacionar. As pessoas não se interessam porque não precisam daquilo, mas pouco a pouco vão cedendo, ainda que lhe peçam que fale baixo e que não se exalte. Outros vão entrando na conversa, que se torna animada, confusa, barulhenta, vira uma bagunça, uma imensa discussão. Sem perceber, ela vai corrompendo os moradores do lugar, que começam a mentir, matar, declaram guerras... e aí ele acorda. O homem desiste de se matar e vai encontrar a menina que havia ajudado.

Nesta manhã, um bom tempo após tudo ter passado, assisti a uma palestra em que Luiz Felipe Pondé usava esta história pra explicar a situação trágica do homem. (A filosofia é um discurso da razão pra tentar colocar um pouco de ordem nos descompassos desta vida. Então, desde meu desencontro com João, eu andava assim, filosófica.) E agora, pedalando pela orla de Copacabana ao Leblon, eu pensava no Pondé, no russo, e no pobre do homem em geral, mas também em cada indivíduo que eu ultrapassava na calçada, todos presos à mesma teia.

O movimento contínuo e repetido das pedaladas, o sol a queimar, e eu na Rússia buscando o sentido da vida... No conto, Dostoiévski propõe que o homem se salva de sua condição quando aceita ser, ele mesmo, a serpente do Paraíso: o homem se encontra quando entende que é o mal desestruturador, e, sabendo-se assim, volta para o mundo para interagir com ele. Você, eu, os passantes na calçada somos todos aquele indivíduo desajustado do sonho, que com um toque desarrumou a perfeição. Eu olhava o desajuste a minha volta e sentia-me cada segundo mais inadequada na relação com o mundo; era isso que me aturdia naquela manhã com o sol a me queimar os miolos... estranha consideração para uma pedalada à beira-mar. Mas o desajuste é o que atordoa sempre, em todo lugar, a cada momento. Vem de longe, eu pensava, meus familiares foram todos inadequados, palhaços num velório... pagamos um preço alto por nossos desjeitos.

Nesse instante, por sorte, bati no meio-fio e caí feio, ralei o joelho no asfalto e interrompi a desordem preguiçosa da calçada. Um pai de família deixou os filhos pra me socorrer. Eu disse que não precisava, que estava bem, e segui com o joelho latejando, pensando que devia arrumar uma água limpa pra desinfetar aquela sangueira.

Foi sorte para você, que por conta dessa queda se verá livre da vertigem em que nos afundávamos, sorte pra quem estava na calçada que pôde se entreter com um acontecimento excitante, e sorte pra mim, porque o tombo físico evitou outro, pior, que me empurrava para a autocomiseração. Subitamente lúcida, já em pé depois da queda, voltei a pensar nos equívocos, só que, agora, de uma perspectiva mais vantajosa, porque talvez se viva mais num segundo de grande equívoco do que em um ano repleto de acertos. Assim pensei.

Subi de novo na bicicleta e continuei a divagar sobre as pessoas de meu bairro, a minha gente, igual a mim, esdrúxula, estranha, desconhecida, mas também tão semelhante... Fala-se uma enormidade enquanto se caminha sozinha, cada vez mais se vê gente balbuciando coisas. Não são apenas os loucos e os bêbados como antigamente. Será que eu também? Acho que não, não mais, outrora talvez, mas agora presto atenção. Acredito que, ao sair pela boca, o pensamento não tem tempo bastante para se fixar dentro da pessoa, e que ao ser falado foge e se esvai.

De uns anos pra cá trago em mim esse receio. Então, concentrei-me para guardar minhas caraminholas sem balbuciar qualquer comentário, ainda que para mim mesma. Sabia que ao voltar pra casa ia anotar, e estava gostando daquelas ideias. Tem mais. A psicanalista de Flavia, minha filha mais nova – só agora percebo que ainda não havia falado das minhas filhas –, disse que as pessoas controladoras sofrem de memória fraca. É a obsessão do controle e não a dispersão que faz esses indivíduos esquecerem as coisas. Por estarem sobrecarregados com a administração de demasiados assuntos, não sobra espaço para a memória, que precisa do vazio para fluir. Quero me descontrolar! Preciso lembrar uma imensidão de assuntos. Amar é uma espécie de descontrole, não é? Não comando nada, não estou livre quando amo, o outro rouba minha liberdade – e vira meu inferno! – mas no processo eu deixo de ser eu. Que delícia. Ao percorrer minha vida, percebo que fui mais feliz quando não estava presente, vivi mais e melhor quando esqueci de mim. Sou um fardo. Como cansa acordar todos os dias com esta mesma mulher. O amor me confunde mas também me posiciona, ao tirá-la do foco e me aliviar do peso desta figura centralizadora, desejante de sucesso contínuo, sempre em busca de uma tola (e inatingível) perfeição.

Perdoe se tergiversei. Saímos da estrutura central deste relato, porque o sol, o vento, a natureza com sua pungência me levaram por aí, pelas tangentes que são tantas ao se tratar um tema assim. Abrange tudo o amor, toca em tudo, move a vida e quase todo o pensamento. Mas esta continua sendo a história de uma mulher e um homem, com um amor difícil e avinagrado, do tipo que não funciona e provavelmente não chegará a um final feliz, mas o único tipo que se presta à escrita. Faço aqui minhas ultimíssimas considerações antes de voltar diretamente para João e Stella. Se me permitem. Caso contrário é só virar a folha.

Não me julgue mal, não quero parecer fútil. Mas, já que nos distraímos, e que você permitiu e veio até esse ponto comigo, merece uma satisfação. Não procuro a felicidade contínua, o sucesso permanente, a perfeição. Não sou banal. Mas onde está o prazer? Em ter os desejos realizados? Não é preciso sair por aí comprando coisas ou transando a esmo pra encontrar alguém que nos complete. Uma vez o desejo realizado, ele não é mais desejo e terá que ser substituído por outro. Não tem fim, isso é sabido. Como é sabido que a única coisa forte como a morte é o amor. O amor por uma ideia, um projeto, por alguém. A gente pode morrer por uma ideia, e a gente sai de si quando apaixonado. Como consola!, que descanso há nisso para o eu atormentado. O amor traz sentido ao mundo porque desloca o foco de si e o projeta sobre algo muito, muito mais interessante.

Vou dormir e acordar apaixonada.

Isso fará sentido pela manhã?

Não.

Falar de amor é como dobrar um origami sem jamais chegar à figura perfeita.

João e Stella só se viam nos finais de semana. Trocavam muitas mensagens de texto, mas viam-se pouco. Ainda se falavam ao telefone, e nas noites de telefonemas com barbitúricos chegavam sempre a uma clareira, e, ali, uma espécie de hiato entre realidades permitia que a paz se estabelecesse por completo. João acreditava no amor dela, ela se sentia querida e apreciada, e, sintonizados, falavam de cinema, de viagens, do passado. Inventavam bobagens pelo prazer que há nisso e nada mais. Iam se conhecendo. Intimidade. Houve um dia em que Stella deduziu a origem das complexidades que ele expunha, de supetão, logo na primeira frase da conversa, sem que ele desse qualquer indicador ou fizesse referência ao local de onde vinha.

Manhã seguinte

    A coisa vai bem so far?

Amor, dia mais difícil que ontem.

Brigado. Fiquei tão envergonhado que você
descobriu que eu tinha saído da análise... rs...

    Sério? Tava na cara, na fala, em tudo.
    Vai ter q aprender a esconder melhor :-)

Não queria esconder. Mas também
não achei que tava tão óbvio.

Achei lisonjeiro q estivesse na
analise a falar d nos.

Tava

Mmmm. Gosto de centralizar suas atenções
de vez em quando só um pouquinho. Meu dia
tb esta um aluguel inacreditável. Os planos
por água abaixo com chatices administrativas.
Vim para o atelier. Comecei a trabalhar com
umas novas formas em vidro, meus desenhos
espalhados, os moldes prontos, aquele material
faminto buscando um contorno que o expresse,
e eu vazia, olhando pra tudo sem inspiração.
Há pouco queimei o braço e resolvi dar uma
pausa e falar com você que me faz bem.

Beijo de boa sorte!

E pronto? Só isso, acabou a conversa?

Naquela tarde ela assistiu a um filme recomendado por
João. Stella buscava compreender os gostos daquele
homem intrigante, aquilo que o tocava, como funcio-
navam suas engrenagens. Lá pelas dez da noite, imagi-

nando que estivesse em casa disponível pra um papo à toa, passou-lhe um SMS.

O menino canta o hino chinês ne?

Gostou????? É japonês!!!! Império do sol?!

Não! Ele tem q estar cantando o hino chinês. Os japoneses eram inimigos. Na cena os japas estão do outro lado da cerca cantando hino do Japão, então ele, prisioneiro do campo comandado por japas, canta em chinês. Não eh?

Gostou do filme???

Sim Delícia.

Morei dois anos no Japão. Japonês gosta de planta. Gosta de animais. E despreza o resto da humanidade. Sofri feito o diabo, pior q chinês.

Ou será que a gente eh que não entende a mecânica psíquica daquela gente?

Eu não entendo mesmo. A música é Suo Gân, uma cantiga de embalar tradicional de Gales, de autor anônimo. Crê-se que terá sido documentada em pauta por volta de 1800. A letra foi recolhida pelo etnomusicólogo galês Robert Bryan (1858-1920). A música tornou-se internacionalmente conhecida como tema recorrente do filme Império do Sol. É também muito executada pelo Coral dos Meninos de Viena. Puta que o pariu. É uma música de ninar galesa?!

Coral dos meninos de Viena...?? É de Gales com esse nome?! Em q idioma eh cantada?

Deve ser um dialeto

Estranhíssimo, está faltando um pedaço

Que pedaço???

O conceito q justifica a musica nos momentos exatos em que ela entra no filme.

Órfão que precisa ser ninado. Abandono Público. Cinema anglo-saxão gosta disso... Eu entendi. Só agora, mas entendi.

Mas o Spielberg não ia denunciar tudo desde o começo. A música já toca no início, antes da historia ser mostrada, não pode ser isso.

Enfim sei lá vá saber. Mas é só um nana nenê! Não denuncia nada. É um carinho na nuca

Estou vendo novela, um dramalhão
deplorável, eh triste como nivelam por baixo.
Dá vontade d abandonar a profissão.

Você tem toda a razão. Mas a
profissão não te abandona.

Não sou boba fiz outra pra me garantir

Você fez várias: escultora, produtora,
ambientalista, nutricionista.

Ihhh tem muito mais você vai ficar
cansado d saber como sou metida.

Então diga.

Agora não, estou um pouco ebria
– cervejinhas pra alegrar um dia
chatíssimo – I'd brag too much

Then brag on me, drunken beauty...

Naaaaaoooooo. Você gosta
de mim? Quanto?

Eu ainda não sei quanto. Sei que aumenta a
cada segundo. You are relentless in a way.

Why

Inteligente Sobrevivente Linda Tudo junto

Longo silêncio.

Você dormiu João? Durma Bem.

Madrugada

Acordei agora de um longo cochilo. Durma bem!

Manhã seguinte

Relentless pode ser chato d ficar junto.
Haja humor pra aparar tantos predicados

Esse suposto problema seria meu, não seu.

Oba, então vou deitar e rolar

Noite do mesmo dia

Tudo que ofereço

Foto rosto expressão limpa.

Determinado

Foto expressão guerreira.

Cético, nunca chegarei lá

Foto expressão de desconsolo.

Não vou chegar, mas tô feliz.
Tomei um StillStilnoxnox.

Só um?

Não, malandra, três. Bruxa! E aí gostou das
fotos? Tenho eu alguma beleza? Qualquer
que seja? Seja sincera. Exteriores!

Muitas. Olho e boca. As partes intimas eu não
olhei a fundo por pudor, não tinha intimidade.
Você tá em casa sozinho e doidão?

Olho e boca destacados do resto?
Como num açougue?

Olho e boca dentro do todo
de seu rosto, bobo!

Amanhã passo o dia em... tchã
nã nã... Planícies!!!!!!

A praça com um imenso lago no bairro
das Lambuias foi projetada por minha mãe.
Ela era arquiteta urbanista e a prefeitura
a contratava para obras desse tipo. Há

outras. Uma praça com um teatro de
arena no meio que ela construiu quando
a vida era ingênua e tudo iam ser flores.

Boca dentro do rosto? Tô doido demais
para perceber o que é isso. Parece meio
antropofágico, falta harmonia ao conjunto.
Ainda está lá? Vou visitar. Devo ver a casa?

O teatro era lindo e arrojado pra época. A
casa fica na Av Cleófanes Monteiro, mas
foi vendida e toda reformada pra virar
clínica, arrancaram as arvores do jardim e
tudo ficou feio e insípido. Posso te ligar?

Falaram da casa onde a mãe dela sofreu o ataque e de
como era a vida na infância. Ele contou de seu convívio
com os irmãos, da presença do pai, que era um frágil
homem gentil, e de não se lembrar de muitos momentos
felizes, os poucos que lhe ocorriam não tinham a presença da mãe. A conversa entrou pela madrugada, leve,
amorosa, triste. E engraçada. Porque para os tristes a
graça brota direto da dor.

Boa noite meu querido, eu gostei d conversar
com você doido e solto. Afetuoso. Sleep tight

Claro, amada pra amanhã de noite quando
você vier, vou comprar então desodorante
roll on inodoro qualquer marca. Roll on
sempre me pareceu colecionador rodante
de bactérias. Inodoro é bom. Você manda

> Eu peco. E você, por ter sugerido
> que eu listasse necessidades,
> concede. Porque eh um lindo!

Concedo

> Aerosol faz mal pro planeta:-)

Fazia. Faz mais não. Mudaram o método.

> Ah, que bom! Agora só
> faz mal pra mim então

Você é meu planeta? É isso?

> Sua Gaia.

Cedo de manhã

Esqueci o nome de todas as
frutas. Tava muito doidão.

> Nectarina, nêspera, figo, cereja, caqui
> mole, pera mole, iogurte natural sem

açúcar, queijo minas, mel. Bom dia!
Em nosso planeta, na ausência dos
grandes cataclismos, vive-se feliz.

Crio meus próprios cataclismos. Tem sido assim.

Você faz conjecturas demais, desligue
isso homem. O ministério dos cataclismos
detectou: você esta dentro de um furacão
convergindo para o centro. Não lute contra,
não conseguirá. Se solte nos círculos mas
sempre forcando-se levemente para a borda
Quando conseguir abrir os olhos estará salvo.
Haverá uma ninfa linda e louca a sua espera
pra guia-lo até seu pais, você o deixou muito
cedo mas o reconhecera imediatamente.
Não precisará mais da ninfa! Mas... se
estiver apaixonado por ela seduza, conquiste,
e ela ficara ao seu lado, fascinada por seu
feito, apaixonada e encantada. Faltou dizer
q a linda ninfa :-) eh um pouco velhinha pros
padrões ninfais, ninféticos?, ninfos?, ora,
você entendeu. E metida. Fazer o q eh a
norma dos mundos não se pode ter tudo.

Tô pensando no ciclo embutido no
raciocínio. Ele já vem com desfecho. Por
falar nisso, estou em Planícies.

Ciclo embutido no raciocínio?! *Ciclo* embutido? No *raciocínio?*

Aquilo era só uma brincadeira, não uma fórmula.

Por que ela se surpreendia ainda a cada reação torcida, tantas a todo instante cortando o fluir das correntes? Ele seduzia para se aproximar, mas repudiava o contato pessoal a não ser com os filhos presentes, a garantir que não se tornassem demasiadamente íntimos. Telefonemas, só drogado. E por SMS... Este tonto deveria, no mínimo, valer-se do convívio com ela para aliviar sua confusão interna, e no fim, se preferisse seguir sozinho, fazer o quê? Ele lucraria de toda forma: com ou sem Stella, estaria de pé, curado e livre. E se, durante o processo, o destino resolvesse amolecê-lo até um ponto em que conseguisse aceitá-la, então tudo seriam flores e ela se beneficiaria também, deixaria de pertencer ao campo da fábula, para entrar, com ele, num mundo possível.

Mas João transformava a vida num raciocínio de granito!

Tá sol? A cidade fica melhor com cor, ao contrario d SP q melhora em PB.

Tá solzinho. Tem árvores.

Na praça do teatro da Bernarda ha muitas arvores.
Já na casa não há árvores, mataram a casa.

Placa diz "figo de Varginha".

Será que ele lembrava da conversa da noite sobre a casa
e a mãe? Sobre o teatro? Não. Mas a moça ainda não sabia que a perda de memória não era algo circunstancial,
e atribuiu a falta de elo na troca de mensagens a uma
nova baixa no humor do rapaz.

Você deve estar pelos arredores da cidade, então,
não dentro ainda... E não era "raciocínio" aquilo de
antes, apenas uma historia, com futuro, porque as
historias precisam disso. Já na vida, quando a gente
deixa ☺, os futuros vão se fazendo, não eh...?

Horas mais tarde

Voltando de Planícies.

Como foi?

Estranho. Visitei todas as TVs e todos os jornais.
Fiquei pensando se o seu pai lia o Tribuna
do Povo, que não existe mais, ou o Estadão.
Conversas furadas, mistura de interior com capital,

provincianismo orgulhoso, criminalidade genuína e
endêmica, mulheres mais bonitas que aquelas da
25 de março, mas que não chegam a seus pés...

Estadão. Eu quero dormir com você.

Você vai. Hoje.

Estranho por que? Você me pega 22:30?
Vamos pra sua casa comemos alguma
coisinha por lá mesmo, um brie, pão? vou pedir
uma sopa d legumes pra mim e a gente passa
e pega no Famiglia Mancini ao lado do teatro.
Quer também? Bom assim? Tem filme pra ver?

Tá ótimo! Quem pega a sopa? Só não
entendi a ordem dos fatores.

Você passa antes numa delicatessen e compra
queijo pão etc., nos passamos depois no
restaurante e buscamos a sopa q estará
pronta porque já terei encomendado antes de
começar o espetáculo, aí vamos pra casinha.

Tem sopa aqui...

Creme de legumes?

Não tem creme. Tem macarrãozinho,
leguminho e franguinho bem desfiado.

Ótimo. Ok então tô entrando no teatro daqui a um pouco não pega cel. Beijossssssss

Beijosssss

Comida é negócio importante pra mim. *Você é o que come* parece bicho-grilo ecoestúpido, pode ser. Não acho. Desde meus 18 fui macrobiótica, vegetariana, vegana, suprimi carnes, todas as vermelhas foram banidas, me alimentei de arroz por dias seguidos, passei outros tantos sem qualquer alimento sólido, fui ayurvédica, fiz panchakarmas (procure saber...), tudo sempre de forma radical, a única, a meu ver, eficaz. Radical mas consciente, depois explico... Quando sinto fome preciso me alimentar ou me brotam instintos violentos. Não serve um macarrão malfeito ou uma coxa de galinha na rua, a menos que seja tão particular que compense os hormônios da penosa (comer esse bicho hoje é quase uma opção de mudança de gênero), sem falar no óleo reaproveitado e na farinha de má qualidade. Também não ligo pra excesso de caloria, uma pasta *al dente* com os ingredientes bem dosados faz meu dia. Não há tabus ou proibições doutrinárias, troco um conteúdo saudável por um deleite sensorial, mas veneno sem seu equivalente em prazer, não topo. Sempre fui uma autodidata da comida, estudei seriamente por seis anos seguidos, e ainda leio e experimento as teses que pipocam em livros e revistas. Uma professora de biologia dava aulas sobre a genética dos alimentos para minha filha quando pequena. Em poucos dias, Ana foi dispensada da sala a fim de passar as horas correspondentes numa biblioteca estudando temas que lhe fossem úteis – a menina sabia minúcias sobre couves, abóboras, e afins – e sua mãe foi convidada a fazer uma apresentação para os demais alunos da sala. Até hoje, passados 15 anos, os colegas de Ana se lembram das propriedades do quiabo, da diferença entre leguminosas e cereais, de como combinar uma coisa com outra pra se ficar forte sem ficar gordo...

Percebo, constrangida, que fugi mais uma vez de nossa história com um imenso parêntese. Nervosismo. É que mesmo em retrospecto me senti apreensiva com o que está por vir. Falávamos de leguminhos, macarrõezinhos e franguinhos. E antes disso, sobre o tema principal: o relacionamento amoroso que custava a desabrochar. Era preciso uma combinação permanente de tato, atenção e empenho, e, naquela noite, eu tinha receio de estragar tudo por conta de um jantar; não se vive só de amor. Aparecer no apartamento do rapaz após a peça e não ter o que comer seria para mim uma tormenta. Não quis fazer muitas perguntas sobre o repasto para não parecer mimada, mas sabia que corria riscos.

Por sorte a sopa era simples e deliciosa, tudo o que eu precisava pra me encantar ainda mais com o feio. Enquanto João observava sentado à minha frente sem comer nada, bati três pratos. Sopa, vinho, cama, e sexo. Sexo médio. Bem médio. Será que ia virar rotina? Ainda bem que a comida salvou, poderia ter me desapaixonado ali. O sexo.

Ao contrário de mim, que voltava à vida depois de um ano em completa aridez sexual, o rapaz não se mostrava entusiasmado, nem com brincadeiras de amor, nem por comida de natureza propriamente alimentar. Baixa libido? Ou seria eu a desestimulá-lo? Ele me achava feia, velha, estranha, não se dava com meu cheiro, com minha pele? Talvez não devesse andar pela casa tão despida...

De manhã, ao despertar, havia me desligado totalmente dos questionamentos noturnos. Acordei cantando! "Sugar Man", de Sixto Rodriguez. Não conhece, pergunto. É uma história extraordinária, mais tarde vou mandar um vídeo que vai pirar você de surpresa. É a história de um americano/chicano que vivia em Detroit fazendo bicos e compondo lindas melodias, virou um astro na África do Sul do *apartheid*, e nunca soube que vendia milhões de discos, jamais recebeu royalties nem aplausos, até que um dia.... "Sugar Man, won't ya hurry, cause I'm tired of these scenes, larali lalaialá, bring those colors to my dreams, laralá, liriri, mmmm larilá." Eu dançando e cantando, os peitos balançando pra lá e pra cá, cambalhotas na cama, e ele olhando aquilo, meio distante. Eu nem tchum, estava feliz que só, leve de evaporar! Sentia uma ressaca do vinho da noite, precisava de um banho gelado, e fui para o chuveiro enquanto ele resolvia assuntos de trabalho ao telefone com a voz nas trevas. Estou de ressaca também, disse.

Chegaram umas fotos de Ana que viajava pela Itália com o namorado, mostrei pra ele, ela brejeira em frente a um afresco de cores vibrantes, num lugar aberto e indefinido. Bonito. Deitei de novo a seu lado e, vagarosamente, a atmosfera começou a pesar sobre mim. Uma angústia me penetrava, a angústia dele abafava o ar dentro do quarto e eu respirava com dificuldade crescente, ele percebia. Areias secas me entupiam. Nem inspirando forte eu conseguia encher o vão que se alargava no centro do peito (do palco), do estômago e de tudo, de repente, como um soco em câmera lenta.

Lembrei-me do sexo insosso, sem empenho ou gozo, das frequentes oscilações de humor nos torpedos dele, e dos não torpedos quando deveria havê-los. Lembrei de seus silêncios e sumiços. Por telefone, nas ocasiões em que aceitava o contato de viva voz, ali, João soltava gotas de carinho, como se assim, sem me olhar e sem o registro da coisa escrita, pudesse ser amável, o mundo não escutaria. Para mim, tudo se justificava nesses momentos. Mas então, de súbito, nos perdíamos por algum desvio sem luz e quando eu voltava a enxergar tínhamos aportado num canto hostil, que fazia nossa construção derreter. Ao giro de uma chave só dele, todos os sentimentos recuavam e a intimidade de antes virava campo de inimigos, um deserto pra onde havíamos sido puxados sem que ele resistisse. Era assim e nada que eu conhecesse ajudava a sair daquela intermitência. Vez e outra nossas conversas tocavam a questão, mas João não era homem de caminhar na clareira e o papo se interrompia ao roçarmos as cercas de suas cavernas. *Verba volant*, ele era mestre em falar sem dizer, elaborava algumas justificativas e ao vê-las esfarelarem fechava-se num mau humor perigoso. Eu ficava com receio de que fugisse, desaparecendo de mim para sempre, e aceitava a inconsistência como fato inevitável. Ele parecia conformado com alguma coisa que sabia de si e que não iria me contar, porque me afastaria dele, e não era coisa que pudesse ser alterada. Estranho estar metida naquilo, em condições normais eu teria há muito lhe virado as costas, mas um impulso demente me mantinha presa. E fascinada.

Saímos andando pelas ruas, o inverno dentro dele, seu corpo todo em despedida. Tímida, eu buscava assuntos e depois silêncios, tocava seu dedo mindinho com a ponta do meu na esperança de que me tomasse a mão, não sabia como agir. Seguimos assim pela calçada vazia, até passarmos embaixo de uma marquise. Estávamos metade cobertos e metade pra fora dos limites da estrutura acima de nós, quando, lá do alto, instalado num andar qualquer, um pombo cínico – sempre desconfiei que esses bichos riem de nós – resolveu lançar um cocô de proporção pré-histórica na direção exata do corpo de João. Não do meu, que vinha colado ao dele, nossas mãos se tocando, para mim nenhum respingo, para João o lote completo, cabelo, orelha, sobrancelha, ombro, a barriga e a horrível camiseta amarela agora estavam também empestados de um excremento fétido. Ele me olhou destruído. Minhas sombras se moveram dentro, deslocaram-se, subia-me agora – que inadequado! – uma vontade de gargalhar. Contive-me, a expressão no rosto dele era de fim dos tempos. Considerei seguir como se nada houvera, mas, tendo avaliado o estrago, seria cabotino. Concordei que precisávamos voltar em casa para trocar de roupa. Por alguns minutos consegui ser grave como pedia o ocorrido, mas então me estourou uma risada alta, desastrosa – não houve jeito –, e com ela desandei a falar, sem pausa: aquilo era um sinal, era a merda que se encontrava, a do pombo, acima, em atração gravitacional com a de baixo, que vinha do humor catinguento de sua cabeça intestinal, O cocô escolheu você, João, nenhuma gota em meu corpo, tudo para o seu, é espiritual, é quântico! Perceba, amor, isso é um grande divisor de águas, águas empestadas se misturando aos fluidos límpidos e cristalinos do futuro! Agora sim, merda no more!

João ia saindo de sua caverna... Sim, concordava, era um aviso de que a partir dali tudo mudaria de rumo. Merda no more, merda no more, gritávamos pela rua feito bêbados em festa numa madrugada funda. Merda no more!

Voltamos pra casa, ele trocou a roupa, e às quatro da tarde, com o humor em bom estado, tomamos café na padaria do bairro. Mas não se deve subestimar a persistência de uma mente constipada... Por descuido, me pus a falar intimidades sobre "o amor de minha vida", uma paixão transbordante da adolescência, com recaídas diversas, sendo que a última "queda" havia durado quatro anos. Não puxei o assunto, fui levada a ele, era algo superado e sei bem que não se toca em relações passadas quando se engatinha por novos afetos. Mas João insistiu e fui revelando o suficiente pra que percebesse – e se aliviasse ao saber, essa era a intenção – que eu também conhecia o mal que o afligia. De fato, pareceu gostar.

Desci mais um degrau e revelei que, não tendo jamais experimentado impulsos suicidas, quando o embate com a dor do rompimento parecia não ter fim, eu desejara a morte. Buscara a morte. Sobrevivi e comecei a escrever pra me salvar do "amor de minha vida" (ainda o chamava assim, a gente faz isso... é estúpido, mas ajuda a aliviar o peso do que já não devia doer e dói). Esculpir foi o efeito colateral de minha doença. O ex-amor, ao que tudo indicava, passados oito anos do rompimento definitivo, ainda sofria por nossa história. E gostava, Prefiro sentir saudades suas, como aconteceu a vida toda, do que viver a seu lado na agonia de saber que me largará um dia. O sujeito me deixara com essa frase, e assim, eu supunha, seguia sua toada. Lembrei--me de tudo isso ali na padaria, porque esta pândega vida prega troças na gente. Ela sabe como gostamos de atribuir um significado sobrenatural às coincidências, como se fizessem parte de um esquema de deferências a privilegiar os mais sensitivos, ou uma intromissão ma-rota do destino a brincar com os espíritos graduados – os americanos têm até uma palavra pra isso, *serendipity*. Trocista, a vida se intromete na história da gente sem se importar com a hora. Então, depois do mau humor matinal, do pombo, da roupa, da restauração do bem--estar, no momento do desfrute, no instante preciso em que nos sentamos para o repasto merecido, saltou em meu celular um SMS do fulano, que depois de oito anos de silêncio voltava (agora!) a me procurar. Antigos afetos possuem sensores, também tem isso... A mensa-gem continha uma foto de sua neta bebê, filha do filho dele que eu ajudara a criar na etapa primeira de nosso convívio. Embaixo da imagem do bebê de olhos azulíssimos, estava escrito: Stellinha. Mas essa parte eu não contei para João, guardei-a, imaginando que atropelaria o entusiasmo que ele demonstrava pelo fracasso de meu folhetim. Quem sabe aquele estranho deleite seria a via torta que me levaria ao coração daquele que ainda sofria por sua Charlotte?

Peguei um táxi de volta ao hotel. No caminho passei-lhe um SMS:

> ...E hoje, meu querido, é o
> último dia do inverno!

Dia marcante. Tudo muda. Busquei o
Pedro em casa e lhe dei teu beijo. Falei
do dia. Só não falei do pombo. Devo?

> Sim claro, conte pra ele do pombo!

Na primavera os pombos não
cagam (ôoo palavra bonita!)

> Primavera inteira sem cagar??? Por
> isso cagaram tanto no final do inverno.

Do hotel envio o link do filme sobre o Sixto Rodriguez e à noite, ao sair do teatro, recebo uma mensagem:

Lição de casa pra mim foi Sugarman. Pra você
vai ser o meu documentário predileto: "the kid
stays in the picture", sobre a vida de Robert
Evans. Amei Sugarman. Inacreditável.

Se emocionou?

Muito!!!!

Outro dever d casa. Escute agora "Sou
filho da veia" do Zeca Baleiro. Mas escuta
com fé! Depois m conta s foi bom

Tá. Pedrinho dormindo comigo. E
eu rindo sozinho. O pombo...

Ri muito também. Fizemos um bom
espetáculo. E hoje foi tudo gravado com seis
câmeras. O diretor se acabou de chorar no
caminhão da UP Se acordar morrendo d
vontade d me ver i will be available :-) Outra
do Zeca Baleiro com Chico Cesar, poderosa
também eh "Mamãe Oxum". Escute tb mal
não faz. De sua macumbeira d plantão 🧙

Linda macumbeira... bring all those
colours to my dreams...

You bet!

Be the answer that makes my questions disappear

Allow me.

And sorry for today. It was not all bad. In
addition to the pigeon's shit, your ex's
campaign also made my day.

Are you reiterating that you took joy
in my suffering you little ass?

HIS suffering!!!!

Oh I get it, the father!

I'll buy my Lica girl first class to make
sure she keeps away from "them".

Você não conseguiria, ela e muito gata vai chover
em cima. E eu preciso dizer q se a Charlotte
Rampling falava 4 idiomas, eu falo 5 ha ha ha

Êba!!!!!!!!!!

Não sei discorrer sobre os arranha céus
d Xangai mas posso chutar q eh uma
maravilha. E ficcionar mais bonito que qualquer
realidade técnica, a qualquer momento.

I bet!

Quando cometi o deslize de perguntar sobre sua ex-
-mulher, João havia contado que a criatura passara
um tempo na China, tinha noções de mandarim e
sabia tudo sobre as modernas construções de Xangai. Uma chata, deduzi. Quanto ao pai de minhas filhas, também citado (num dado momento da troca de
mensagens, eu entendi que João comentava o assunto
do amordeminhavida. Estava errada, o tema era outro, sobre o pai das meninas, um ex mais relevante),
naquela manhã, enquanto estávamos na cama entre
cantorias e cambalhotas, antes do abismo completo,
Afonso telefonara três vezes, querendo me aliciar para
uma campanha contra nosso genro *to be*. Tomado por
uma rajada de testosterona paterna, num ataque de
ciúme contra o companheiro da filha, esquecia-se do
quanto, na realidade, ele aprecia o rapaz, com quem
Ana, a mais velha, partilha a vida desde que foi estudar
em Londres há um ano. Coisas de homens com suas
pequenas, que nunca terão crescido o suficiente para
trocar seus ídolos germinais por machos da própria la-
vra. O mais desta história são piadas internas, e... não
se pode contar tudo, um pouco de segredo cai bem,
inclusive aqui. Chega disso.

Manhã seguinte

Falei com a psiquiatra. Parei de
tomar um. Quero detox.

Eu te amo por isso!!!! Pode
almoçar comigo? Quer?

Quero, mas estou na gravação... Enrolada.

De que?

Do comercial de que falei ontem.

Horas mais tarde

Desenrolou-se meu douce
versão pureza?

Ainda não, doce. Tô com um sono do cão

Escutou o Sou filho da veia? Escuta
q acorda, A veia eh uma cabocla
que leva tudo embora. Tcharan.
Infalível: Caboclada mais primavera
com chuva pra lavar merdas d
pombos e outros monstros.

Sinto uns formigamentos, falta do remédio. Vai
ser uma semaninha... detox tem seu preço.

Vamos pro Rio. Eu te levo pra andar d
bike na floresta mergulhar no mar ver
filmes lindos. Vem q eu formigo com você,
juntinho, divido contigo faço massagem
carinho na nuca, lambo você. Meu gato.
Dou de comer conto historia pra rir, fico
bem quieta, deixo estar, fico ali do ladinho.
E quando a gente acordar tem o mar na
frente pra afogar tudo que ainda for preciso.

Linda!!!

A mística em torno de Stella e sua beleza me eram secundárias, mas ela combinava rara inteligência com caráter afetivo. É difícil abrir mão de alguém tão cheio de espírito e que ainda expressa afeição...

Stella me fazia bem. Já conseguia dormir a seu lado noites inteiras sem precisar me refugiar no quartinho, meu bunker. Estava no momento mais sombrio da vida e ela parecia passar ao largo, terna e vivaz. Havia nela uma alegria que brotava do íntimo, sem contudo lhe tirar a densidade ou a capacidade de sofrer com o que se passava à sua volta. Feliz por estar a meu lado, suportava o descaso com que eu tratava tudo que não fosse minha própria dor, contornava minhas baixas de ânimo, relevava o temperamento feroz, enxergava além. Não sei o que via.

Não era sem sofrimento pra ela. De início não me dei conta, mas com o tempo percebi que, enquanto meu espírito se desanuviava, o dela encolhia nas sobras de meus cataclismos. Com o tempo Stella passou a mimetizar minhas neuroses, ou os aspectos dela que eu não dominava, e a se envolver de tal forma naquilo que adoecia. Severamente. O que a fez permanecer ali? Não era o sexo. Colecionávamos fracassos. Havia nela uma determinação qualquer, um objetivo a ser cumprido. Apaixonara-se sem conhecer meus eventuais talentos. Não sabia o que eu pensava ou como funcionava, e estou longe de ser bonito. Passei a imaginar que ela se atraía por minha doença. Não pelas características que me compõem, mas pela desordem em que se encontravam. Eu não era um homem, mas um projeto, e ela precisava de mim como o missionário precisa do ateu. Para salvá-lo.

Além do mais, eu tampouco saberia amá-la. O depressivo não ama. Até mesmo o sentimento para com meus filhos era distante. Praticava atividades com eles, me obrigava a fazê-lo e isso soprava alento no arrastar das horas. Mas amor... Eu os amava como quem sente saudade, numa atitude passiva com o objeto ausente. Eu os amava como quem ama os mortos.

Quanto a Stella, eu poderia amá-la se estivesse morta. Morta ela seria menos cansativa. Sim, eu a amaria certamente, se estivesse morta.

Vou dormir, morrer um pouco.

Dia seguinte

Stella acordou preocupada com João. Será que se dopava nas caladas, se anestesiava por dias seguidos sem ligar pra nada ou ninguém? Será que odiava o trabalho e para tolerar a rotina se entupia de opiáceos? Será que sofria de dependência e era isso que ele escondia? Impossível competir com as drogas, diante de mínima frustração estica-se mais uma, tomam-se três comprimidos, e troca-se um dia a dia comezinho e inglório por delícias extasiantes. Quem está ao lado é que se afoba, sofre, cata a sobra das negligências, o lixo, paga as dívidas que o outro deixa acumular.

João consumia uma batelada de remédios reguladores de humor, todos prescritos. A mistura não estava trazendo paz, a não ser quando degustada em doses especiais nos túneis solitários dos ritos noturnos. Será? Mas por que motivo um psiquiatra receitaria seis pauladas tarja-preta-viciantes, por meses ininterruptos, para um homem que permanecia infeliz e confuso? E como faria um pobre infeliz, que já não lidava bem com flutuações emocionais, para recuperar os próprios mecanismos, se estes estavam sempre artificialmente desligados? Stella se preocupava. Comportamentos outrora considerados excentricidades administráveis hoje são vistos como fobias de nomes complicados. As drogas criadas para saná-los são fabricadas em grande escala e, mesmo que tragam benefícios, não salvam toda gente. No caso de João, o ajuste de seis diferentes pílulas às suas necessidades patológicas não parecia estar nem remotamente sob controle.

> Tá difícil ou tolerável? Sério, se
> anima não d ir pro Rio 3a ou 4a?

Sim!!!!

> Sim tá tolerável, ou sim vai ao Rio?

Sim. Vou ao Rio. Durmo com você,
te dou um presente e volto.

> E com presente?! Quando?

Silêncio.

Domingo à noite

Stella insiste.

> 2a também é ótimo e 4a eh
> melhor que 3a. Vem vem vem.

Vou, vou, vou.

Segunda de manhã

> Bom dia flor do dia 🌾 E se você
> vier amanhã? Pra mim seria lindo.

Silêncio.

> Os gremlins químicos estão atordoando?
> Guenta firme, be my hero! 💪🖤

Amor, foda. Gremlin mau. Aquele exposto a água.

> Juro q isso vai embora. Me deixa ajudar.

Deixo! Estou agora em reunião. Com Y
X Z. Não ajuda, né? A rotina, digo...

> É, não parece muito divertido. Quem tá
> à sua volta percebe ou dá pra disfarçar?

Percebem o livro, mas não o capítulo.

Faz igual o Vittorio Gassman. Ao ser
perguntado sobre como conseguia transmitir
furor nas cenas de cólera, Gassman disse:
Eu bato forte na mesa, e pronto, fico com
raiva! A forma é que moldava o sentimento
dele, saca? Nada de mergulhos racionais
aos tormentosos campos da emoção, como
se supunha. Você pode fingir que está bem,
e ficar melhor ao menos. Desejo o melhor
possível, entendo que não é simples.

Horas mais tarde

Tá com formigas ainda ou bichos
maiores e formigas?

Formigas maiores.

Tô aqui. Tenho espada escudo e
o escambau. Estou à sua espera.
Armada contra monstros em geral. E
desarmada, totalmente, pra você.

Dois dias se passam.

Silêncio total.

João não foi visitá-la em sua cidade, não telefonou, não deu satisfações. Como de hábito, foi Stella quem fez contato.

> Escrevi uma coisa inspirada em você ali naqueles lugares q já conhece. Não é pra levar a sério, só um pouquinho. Bj

E eu preparei algo lindo pra você.

> Lindo?! Quando vou ver?

Rápido.

> No meu timing ou no seu?

Silêncio.

Stella pode ter perguntado a coisa errada, mas como saber? Qualquer pergunta pode ser errada pra quem não quer se relacionar, ou prestar contas, ou programar coisa alguma. Depois de dias sem uma palavra, um gesto, nada, ela estava ansiosa e, se deixasse a peteca cair, perderia o moço mais dois dias, três, uma semana... Céus, de onde vinha a dedicação a essa *coisa* que ela se esforçava sozinha pra manter em andamento? Para quê? As perspectivas de uma relação satisfatória pareciam tão tênues. E em que momento ela se havia desviado tanto de si?

> Ai, agora fiquei preocupada de não gostar da bobagem q postei, é só brincadeira, não resisti a fazer graça com o cenário tempestuoso que nos envolve (note o pronome no plural). Luv you.

Vou ver, amor. Meu humor é negro, meu afeto é verdadeiro.

Havia anos, Stella criara o site a fim de oferecer de forma organizada todo tipo de informação que pudesse interessar a seu público, e sobretudo a jornalistas em busca de matérias. Para que não a aborrecessem com questões repetidas – tantas quanto os fios despencados de sua cabeça pelos efeitos colaterais da vida pública, costumava dizer. O site se lincava a uma página no FB, onde, vez por outra, ela postava aforismos ou croniquetas como aquela da depressão, a da fratura, e agora esta, inspirada nos desencontros de seu momento com João.

Timing
Problema do amor é timing. Quando eu quero amor profundo ele está pra lero-lero. Se eu vou de aventura ele quer

anel no dedo. Você sabe que é o cara, seu tamanho, tudo a ver; que delícia, agora vai. Ele olha a gata serena sagaz, ideal de seu imaginário, e... não sente neca. A culpa é do Tempo, dos tempos dissonantes de cada um. Você dedicada, amantíssima, acaba de se separar de um cafajeste contumaz, tá doida pra sorrir, respirar, brincar... tropeça no último romântico. Vice-versa e a coisa segue num desencontro de lascar. Por que santocristo?! Porque c'est la vie e pronto. Não adianta esperar por um milagre, não vai acontecer, quando ele finalmente assentar, ela estará desgastada pela espera; se rolar, fará da vida um transtorno que ele não merece, pois enquanto ela se vestia de princesa ele levava na cabeça a tempestade. E agora que chegou, para ele, a calmaria, ela arrancou as sedas, se arrastou para um pântano vizinho, e se afundou até o pescoço. Quem insistir, repetirá Sísifo, levando pedras ao topo da montanha pra vê-las rolar morro abaixo. Impossível uma construção. Sim, existem aqueles casos históricos, Yoko e Lennon, Rainha Vitória e Príncipe Albert, Zélia e Jorge Amado, os duques de Windsor, Rimbaud e Verlaine, Marco Antônio e Cleópatra. É... às vezes dá certo.

Li. Verdade absoluta. Perfeito. Só
esqueceu do pombo. Até escrevi.

O pombo eh so nosso.
Bem..., seu. Escreveu onde?

A frase na tua página.

Estranho, não tá lá.

Será que ele estava visitando o Facebook de uma das quatro ou cinco falsas Stellas que surgiram na rede desde que reassumira a função de atriz? Em sua página verdadeira, ela se atinha a assuntos mais ligados à escultura e às ilimitadas possibilidades das artes visuais contemporâneas, e talvez por isso tivesse menos seguidores que os perfis falsos. É possível que João visitasse as páginas que inventavam rotinas para a intimidade da atriz, aquelas que especulavam sobre os porquês de seu sumiço e as razões de seu retorno. Se bem que ele dizia pequenas inverdades, com frequência intrigante – espécie de cacoete –, e em seguida, pra compensar o desconforto de Stella por duvidar dele, João acenava com um gesto gentil. Naquele dia enviou-lhe um vídeo com a música "Ne me quitte pas": não a balada cantada por Jacques Brel, mas outra, de uma jovem divertida chamada Regina Spektor. A moça, moderninha, dançava ao percorrer ambientes decorados com toques surreais, cantando uma melodia cuja letra era distinta de sua homônima mais notória, mas que não deixava, como a outra, de implorar no refrão: "Ne me quitte pas."

O moço feio estava a lhe fritar os miolos. Que feio. Que apaixonante!

– Uau! Enchantée! Não conhecia – ela disse ao telefone.

– Ahhhh, não sabe como fico contente por apresentar algo que surpreenda você, tem sido sempre o contrário – João respondeu.

Ele se sentia diminuído por não lhe trazer novidades?! Surpresa. Parecia tão desprovido da intenção de agradá--la, tão sem tempo para qualquer esforço que o tirasse de seu claustro. Então se preocupava, que bom. Motivada e romântica, Stella se punha a reafirmar-lhe: estava ali por inteiro. Tudo tem sido surpreendente pra mim a começar por sua personalidade xucra! Você é irreduzível, inadestrável, o que diz, os estranhos intervalos entre cada um de nossos encontros, tudo me intriga. E atrai. Fico agoniada, é verdade, mas, por outro lado, seus mistérios tiram o mundo da passada monótona. Eu andava desistente de tudo... Porque tem um burburinho atordoante à minha volta que não me diz respeito e não cessa nunca. E tem, do outro lado, um silêncio, imenso, assustado! Enquanto os inteligentes se calam cheios de dúvidas, os idiotas berram suas verdades. A vida vai sendo atropelada por lugares-comuns e eu tenho vontade de fugir! Mas quando estou com você eu quero ficar! Você é o sol do meu planeta!

Stella despejava lisonjas para que ele se certificasse de que não pensava em deixá-lo, se é que o envio da música tinha alguma intenção embutida... Ora, tinha, claro que tinha, aquele homem não se mexia sem um compasso a medir efeitos e consequências. Não queria parecer presunçosa em relação aos sentimentos em escravo de Jó que ele dava e tirava sem garantias, então manifestava de forma sucinta sua alegria com o presente, A Spektor é pop sem ser boba, e canta lindo, obrigada. Conversaram por mais de uma hora, não havia como desligar, os assuntos se encadeavam. Como adoro este homem, pensou. Combinaram, E desta vez é certo!, garantiu o rapaz, que ele iria para o Rio – e para ela – no dia seguinte, por volta das seis da tarde. Como reforço João lhe enviou um último SMS antes de dormirem felizes.

Obrigado, carinho enorme

Acordo aos rodopios, preparo a casa, estufo vasos com flores campestres, afofo as almofadas, troco objetos de lugar. Esfuziante, providencio champanhe, vinhos, combino um cardápio leve de sabor exótico que a cozinheira deixará semipronto pra eu finalizar na hora. Escolho uma louça floral antiga que garimpei num brechó em viagem recente. E música! Não sou de ouvir melodias como fundo para outras atividades, incomodam-me, desconcentram, desconfio que não seja suficientemente musical. Aliás, tenho uma baita tendência à dispersão com intromissões sonoras. Meu apartamento tem tratamento acústico em todos os ambientes. A intimidade de minhas filhas, talheres batendo na cozinha, e a descarga do vizinho não me dizem respeito e é bom que fique assim. Mas aquela noite merecia algo para amaciar os ouvidos e isolar o mundo. Ao longo da tarde elaboro a lista perfeita: Joe Cocker, Joan Baez, Diego y Cigala, Beirute, Joni Mitchell, Jim Croce, Mamas and The Papas, Amy Winehouse, Carla Bruni. Tudo para voar, tapete voador por cima de um mar de verão.

Às duas resolvo fazer contato e certificar-me de que os planos corriam dentro do combinado, e para que ele soubesse o quão radiante eu me sentia. Alegria cativa oprime, é preciso soltá-la.

> Tão contente q você vem!

Silêncio.

18:30h.

> Vindo?

20h

> Desistiu meu pombo?! Não conseguiu sair do trabalho até agora?

22h

É isso? Só isso? Você não vai falar
comigo vai me deixar aqui no vazio?

E ele, imediatamente:

Não!!!!! Eu vou!

Só que era mentira.

João não apareceu. E não disse mais nada.

Passam-se os dias. Na sexta viajo para São Paulo e me arrasto pelo fim de semana sem que ele faça qualquer contato. Num primeiro momento sou tomada de fúria, em seguida, um senso de ultraje, e por aí vai me entrando a hostilidade do mundo. Enraiveço, sofro, perco a fome, desprezo o panaca, puto, odeio o canalha, tenho compaixão, compreensão, sinto ódio, desesperança, sinto ódio. Exaustão. Sinto ódio!

Conheço muitos que, nessas horas de grandes alternâncias, tomam calmantes. Ou bebem. Beber ajuda uma imensidão. Mas nem isso faço mais porque o corpo reclama e tenho preferido não importuná-lo, o corpo, digo. Atravesso meus turbilhões como quem segue para uma guerra secreta. Vou só, quixotesca, evitando a queda. Se persistir sairei mais forte do outro lado, e esse é meu único prêmio.

Devia estar com o equilíbrio fortemente comprometido, *doente da cabeça*, diriam na minha infância. Porque, passados alguns dias, atordoada e insone, sem ter atravessado coisa alguma e muito menos recebido algo em troca, vencida, passo-lhe uma mensagem:

> Perdoei. É tão estranho q não da pra achar nada. Então perdoei.

E ele, seco feito o vento das estepes:

Não ache estranho. É estranho.

> Pronto, não consigo mais dormir. Você não quer mais me ver? Diz só alguma coisa qualquer e eu vou embora. Peça!!! Por Deus, peça João!

Silêncio.

Dia seguinte

De manhã, tentaria outra vez.

> Bom é assim: eu gosto de você, não sei por que, você não é meu tipo. Gosto de gente grande você eh pequeno, tem a mão pequena

mas quando pega na minha é bom cada poro
de contato. Tenho tesão em você também
não entendo por que mas eh muito, e ainda
não rolou nada satisfatório, o que torna isso
mais incompreensível. Deveria estar com
muita raiva, já estive, passou, não sobrou
nada, só vontade d estar perto e entender (ou
não, so what anyway) essa parte que você
não conta e que parece ser a preponderante.
Se você puder deixar rolar, e quiser, me diga.
Não demore, te peco. Pode ser também q
você goste um pouquinho de mim – assim
parecia – e q eu tenha sido descuidada com
a torrente d impressões q m vão saindo da
boca sem cautelas. Pode ser q você tenha se
impressionado com o desjeito ou eloquência
das impensadas. E q tenha s protegido pra
digerir isso e aquilo. Ou pra não se envolver
com alguém q vai dizendo sem cuidados. Pode
ser então q você goste um pouquinho de mim.
😊 Isso pode ser! Eu sei ficar bem quietinha.
Sei que gosto de você. E não é pouco.

Eu fico aflito de você pensar por mim. Fico
aflito de você achar que já viu tudo na vida, de
você catalogar homens, situações, sofrimentos,

padrões. Não sei como dizer isso, mas você nunca conheceu alguém como eu. Eu sou outro. Não gosto de você pela sua notoriedade – para dizer a verdade admiro tudo o que você é, mas prefiro saber que uma energia de menina te faz cantar Sugar Man pelada, animada, na minha frente. E isso nada tem a ver com fama. Que se foda a fama. Sei também que há um desencontro entre nós, maravilhosamente descrito por você em seu FB. Mas sei também que tentei ser desde o início o mais aberto e franco do mundo – o que, graças aos paradoxos da vida, me deu o status de deselegante. Sei também que, a cada minuto de vida a seu lado, fiquei um minuto mais feliz, e você um minuto mais aflita. Eu percebi que minha angústia te angustia. Sei também que, sem você, não teria enfrentado essa merda de deixar remédios, o que tem me custado em sofrimento muito mais do que eu próprio imaginava. Eu gosto de você. E meus filhos gostam. Eu adoro suas histórias. E adoro imaginar um cotidiano possível com você. Sua pressa de definir as coisas logo me empurra para fora, assim como sua autodefesa exacerbada. Sei não o que falar. Sei não o que fazer. Você me faz bem, mas quer que eu esteja num outro patamar. Eu não estou. Não gostei quando você me imaginou um homem adestrável – um misto de ironia com fundo de verdade. Não gosto de mulheres saia justa, uma versão importada e chata de Sex and the city. Sou feio. Você é linda. Sou tímido. Você é pública. Sofro. Você está exuberante. Isso deve dar a você a seguinte indignação: como é que esse bostinha não vai se apaixonar por mim? Pois bem, esse bostinha te adora pelas suas fraquezas, não pelas suas qualidades visíveis. Suas fraquezas te trazem para o mundo dos humanos. Você deixou para relatar sua desilusão amorosa somente no fim, no raspo do tacho. Segurou, segurou, segurou. Já sua vida cotidiana me traz ânimo. O estratagema do marido para solapar a vida do genro, a Ana tirando foto sozinha na viagem para não criar caso, você toureando os dois. Tudo isso é lindo. Eu li/ ouvi cada uma de suas mensagens e sons. É de um carinho fenomenal, irresistível. Resta-me uma dúvida: por que uma mulher como você iria tentar algo com um projeto de homem como eu? E, pior, como explicar que esse projeto de homem não se apaixonou loucamente por você? Fácil. Quebre todos os seus paradigmas. Não sou ninguém que você conhece. Aprenda um pouco comigo...

Desculpe desculpe desculpe João. Eu não
sei nada!!! Sou uma tonta q sai dizendo tudo
q pensa que pensa. Sou ansiosa afobada
arrogante desastrada. Por dentro eu não tenho
certezas, por lá ha fragilidades sem fim. E é de lá
que eu quero você, é de dentro o encantamento.
Você não se parece com ninguém que
conheço. Me deixe entrar, me mande a merda
quando eu ficar chata, sou obediente. Irei.

Prefiro aproximar aos poucos. Você quer
entrar. Nada que uma tarde de passeio
não ajude a solucionar. Vamos no Arábicus
e tomar depois um café no Gloria?

E ainda: não fico magoadinha se você me
apontar minhas imaturidades, reajo, mas penso
e gosto. Se vier de você irá la pra dentro daquele
lugar q eh muito separado deste outro pra uso
social. Eu tive que fazer uma cisão e às vezes as
regiões se misturam. Mas não me acho incrível.
Acho você incrível (vale para o bem e para o
outro sentido :-) Quero você muito. Se você não
se apaixonou, eu sim, me apaixonei por você.

Em suma, não fui ao Rio.

Duas horas mais tarde

Impossível ter se apaixonado por mim em tão
pouco tempo, sendo eu feio, tendo pouco
conhecimento de eventual talento que eu possua
e sem conversar muito comigo. Você parecia
mesmo na medida para se apaixonar, só que pelo
primeiro que viesse, não necessariamente por mim.

Pausa de trinta minutos

Stella, tô um bagaço. Vou tentar dormir Eu não
deixei de me apaixonar por você. Nem chegou a
hora para isso. Acordo e te ligo. Adorei beijos

> Não fale por mim, você não
> eh o primeiro q apareceu

Falei de mim. Não falei por você
Dormir. Beijos. Você me faz bem. Ponto.

> Se de fato rolar, vai ser bom conversar
> com uma pessoa inteira na minha
> frente. Essas mensagens sao adultas
> mas a mídia e um tanto adolescente.

Beijos Estarei lá
Eu vou assim.

Dia seguinte

Queridinho estou aqui bem caaaalma esperando pacífica como o mar da manha, pra você ligar, se quiser, na hora q você tiver vontade. Não se sinta pressionado. Talvez quando me encontrar eu não tenha unhas ou dedos mas e dai? Você gosta dos defeitos... Ah que delícia a vida sem ansiedade ou expectativa. Tudo na santa paz.

É ironia? Parece um diálogo seu com alguém que não sou eu. Como se eu pregasse a vida sem ansiedades ou expectativas. Quem é natureba aqui é você. No mundo do inferno mental eu reino. Você prega o mentalismo pacífico Não se lembra?

Prego nada. Pare d m levar a serio!

Tem algo errado aí. Vamos falar sobre isso no Arabicus às 14 Que tal?

Vou ter q comer um boi quando chegar, estou ha dias comendo nada – inapetência conhece? – hoje bateu uma fome selvagem. Mas tá né.

É tarde demais? Quer agora?

Siiiiimmmmmm Você m pega e a gente vai andando:-)))

Às 13.

13!

Acordei cedo e alegre, como me é de hábito. Mas aquele era um dia especial, haveria esclarecimentos e paz. Estava inquieta como um faquir desregulado a correr sobre as brasas da própria paixão. Tomei café, conversei futilidades com um colega de cena, caminhei na esteira ergométrica para queimar os excessos psíquicos, e lavei meu corpo num banho extenso usando bálsamos nos cabelos e óleos na pele. Depois fiz algo que costumo deixar de lado por preguiça, mas aquele era um dia especial, haveria amor: besuntei-me com cremes de aroma irresistível. Fazia tudo aos rodopios. Com o passar das horas e nenhuma confirmação do encontro, vibraram em mim as ondas da hesitação que, imaginei, João estaria sentindo. Um pássaro me piou que o homem, lá de seu apê, elaborava estratégias para recuar outra vez. Por quê? O silêncio, a demora em fazer contato começavam a pressionar-me o esôfago. Meus pulmões se comprimiram até que o entusiasmo inicial foi empurrado pra fora. Tentei respirar, deitar, relaxar, fazer posturas que costumam levar minha bioquímica a um estado de conforto. Nada. Um bicho crescia dentro. Lembrei de Deus. Comecei a entoar hinos do Daime, e cantarolando baixinho busquei imagens dos rituais na internet. Apareceram os padrinhos de uma comunidade na Amazônia de que ouvira falar. Cliquei no link e dois mestres, garrafa de Daime na mão, saíram da tela – sim, saíram – e cantaram – com a simplicidade e a força que só aquela gente possui ao ser tomada pelo poder do ayahuasca – o hino de cura que eu precisava ouvir naquele exato momento. Direto do Mapiá, e do astral, eles cantaram para mim:

Quando tu estiver doente que o Daime for tomar, te lembra do ser divino que tu tomou para te curar. Te lembrando do ser divino, o universo estremeceu, a floresta te embalou porque tudo aqui é meu. Eu já te entreguei agora vou realizar, se fizeres como eu te mando nunca hás de fracassar. Tu já viste o meu brilho e já sabes quem eu sou, agora eu te convido para vires aonde estou.

Ouvi aos prantos, cantei junto dez, quinze vezes, e, devagar, fui voltando a mim. Após algum tempo, não posso dizer se quinze minutos ou cinquenta, num prazo de intensidade perfeita tudo se restabeleceu e curou. Sei bem que parece delírio e que a demência ora comprovada da autora – que lembra uma dessas atrizes fanáticas adeptas de seitas extraviadas, esta ou outra, não importa – pode ter lhe dado, leitor, vontade de fechar essas páginas. Mas o fato é que eu estava lúcida antes do episódio, ainda que ardendo de amor (esse sim, dependendo de quem o maneja, se anjo ou chifrudo, costuma levar aos mais tresloucados desvarios), estava lúcida e assim permaneci. Só que, depois do canto, me vi livre de um abandono que me habita há tanto tempo, que sinto vergonha toda vez que, ainda hoje, ele me vence. Tudo estava doendo com uma intermitência maníaca, me infantilizando ridiculamente havia dias, e o hino, o canto, a entrega fizeram passar toda a agonia. Não é coisa que aconteça com toda gente, mas comigo, naquele instante, o desafogo foi transformador.

Ao avisarem que João esperava no saguão, desci cantando. Estava segura como sempre acontece depois de viver transcendências, porque há uma estabilidade e um poder que advêm desses pequenos milagres. Mas é preciso ter feito o mergulho pra saber. Saí do elevador cantarolando o hino, os olhos cheios de lágrimas. João sorriu intrigado enquanto aguardava o fim da catarse pra me cumprimentar.

E ele é que era o maluco. Difícil se ver aos olhos do outro. Considero-me previsível (porque ajo a partir dos sentimentos, e estes são mais evidentes do que planos pré-elaborados, que tendem a manter pouca relação com o instante), mas entendo que nem sempre pareça assim, isso de ser previsível, digo.

O restaurante ficava a algumas quadras e fomos a pé, conversando pelo caminho. O moço que chegou opaco parecia acender. A pele corava, a coluna foi se retificando, e eu adorei assistir ao efeito de nossa conversa refletido nele todo, em seus olhos, aqueles olhos que apesar de tudo eram de uma doçura desestruturante. O olhar dele me desarrumava. E desarrumada eu ficava mais próxima do que sou. Cafona? Há tanta verdade na pieguice... Fomos comparando nossos desajustes cheios de entusiasmo, não para exibir excentricidades e nem pra afirmar razão, mas como se fôssemos espécies distintas que precisavam traduzir um para o outro minúcias de suas diferenças. Não me lembro bem da conversa, estava imersa no anseio de apontar a legitimidade do que havia entre nós e que, por si, justificava quase tudo, Entre gente inteligente com boa intenção, eu disse, lá pelas tantas. Ainda bem que ele não era comum. Seria incômodo ter que disfarçar a intensidade do que me ia por dentro e fingir gostar pouco porque ele, quem sabe, se sentisse menos envolvido. Estava ali meio suicida e que se dane. Ser gostado era o que não havia acontecido na relação com a defunta poliglota de Xangai. Não seria um alívio receber o que eu lhe oferecia (e sem precisar, santocristo, retroagir no momento seguinte)? Há uma urgência em mim, João, minhas pessoas foram embora sem avisar, fui aprendendo a espremer vivências dos instantes que me davam (enquanto era possível), e fiquei assim: urgente. Não tenho paciência para divagações especulativas, preciso experimentar!, e, se for ruim ou desastroso, ao menos saio com o negócio vivido. Paga-se um preço, claro, mas paga-se sempre, não é? Seguíamos andando pela calçada, eu quicava ao lado dele e ele se contaminava querendo daquilo tudo; era tão evidente quanto o sol do início de tarde que brilhava sobre nós. (Disse Oscar Wilde: Falar com ele era como tocar um violino sensível. Ele reagia a cada toque e a cada vibração do arco.) Não me desce, João querido, desperdiçar uma história tão vibrante entre incomuns. Seria um estúpido sacrilégio...

Por aí ele freou o compasso, aquilo andava de um jeito que ele não controlava, seu tempo era mais ponderado, disse, Não *sei* me jogar, Stella, *preciso* refletir. Sua urgência, por mais genuína, me oprime.

E mudou de assunto.

Ele residia no cérebro – naquele cérebro, céus! –, o caminhão de charme que eu despejava sobre suas vulnerabilidades não o movia de seu posto de ferro. Gostava de estar estagnado no pior dos pontos, e minha espontaneidade não se criaria ali por mais de um segundo. Ainda assim, sabendo que nada mudaria, eu seguia tentando. Por quê? Estava tão fora de ordem, qual o fetiche que me movia?

Sentamo-nos à mesa disponível, logo à entrada, não havia tempo para escolher outra, qualquer uma serviria contanto que não fosse preciso interromper o clímax que atingíramos, independente do assunto andávamos pelas alturas. Era sábado e o restaurante estava lotado. As pessoas se aproximavam com comentários sobre a peça em cartaz ou a exposição das esculturas, ou uma entrevista que saíra no jornal e num programa de TV... Amigos paravam para nos cumprimentar. Eu dizia que aquele era João, e só, e ele por formalidade às vezes indicava, *Stella*. Já nos haviam observado de longe: as gargalhadas, os olhares aparvalhados haviam atraído atenções dos sete cantos do quadrado, as pessoas paravam porque não resistiam; a paixão é alegre, e cativa. Para nós tudo era divertido, inclusive essas intrusões, que, fosse outro dia, teriam perturbado uma enormidade, mas naquele momento viravam tempero e pimenta. Falamos de tudo, sem pudor ou cuidado. João era italiano por parte de pai e libanês pela mãe de quem gostava pouco. Contou-me que ela era alcoólatra, de gim, mas que antes de começar a se afogar na bebida, quando ele era criança, cozinhava pratos como aqueles do restaurante em que nos encontrávamos, e que as receitas eram da avó, esta sim sua referência de valor. A velha, quando jovem, ainda no Líbano, havia se encantado por um marinheiro e fugido com ele contra a vontade da família. O rapaz se enrabichara pela irmã, mas esta, coitada, não tinha fibra nem vontade e lá pelas tantas não aguentou a pressão do pai para largar o *estrangeiro sem futuro*. Este, que não era bobo, por via das dúvidas já andava de asas arrastadas para a caçula mais tinhosa e, não dando certo pra cá, virou-se pra lá. Sonhava partir pra terra nova, arrumar trabalho em terra firme, e fazer família em lugar de futuro. A menina-avó olhou bem o que tinha à frente, e gostou do moço conversador, aventureiro, corajoso, Se me tratar com respeito e não for preguiçoso, cozinho, cuido, e vou com você pra onde o mar levar. Começaram um namoro escondido e na primeira oportunidade escapuliram para a Itália, onde pretendiam, com ajuda de parentes, juntar economias para embarcar rumo às Américas. Nunca formalizaram o casamento. Foram felizes por setenta anos. Realizaram o sonho imigrante, tiveram sete filhos, dos quais três morreram em guerras, uma menina bebê faleceu no navio a caminho do Brasil, e além da mãe dele, Que saiu torta porque isso sempre acontece com um filho ou outro, não é mesmo?, restavam dois tios vivos, com quem João convivia pouco.

O italiano e a libanesa migraram para o Brasil porque ambos tinham asas nos pés e porque a crise na Europa os cuspiu pra fora de lá. Mas, de verdade mesmo, o marinheiro era um espírito livre demais para atrelar sua vida às tradições e às hierarquias de seus familiares, já havia experimentado a lida dura com o mar e gostado, era homem de sonhos soltos, ia criar sua própria família, a seu modo, e em campo neutro. Agora tinha encontrado mulher, e ela..., que sorte a sua, era pau pra toda obra! Desde o princípio aquela avó valente mostrou seu valor. Uma vida inteira e até o fim de seus dias o marinheiro a cobriu de afagos e elogios que João nunca cansou de ouvir enquanto crescia. Eram todas verdadeiras as palavras do velho, e a avó dava prova com gestos carinhosos de efeito prático, que sabia soltar nas horas mais acertadas. Parecia ter um sensor a regular os ânimos familiares, porque, depois de sua morte, toda ordem afetiva – aquilo que parecia fato consumado – se desfez num sopro. Essas eram as histórias de um menino tímido de doze anos, quando ainda havia alegria em seu mundo... Morreu o avô, em seguida a avó, e entrou-se na idade das trevas daquela família. Agora quem liderava era a mãe. Com a ausência dos avós, irrompeu da figura até então inexpressiva e enfermiça uma força soturna. Ela passou a comandar a casa pelas minúcias, numa espécie de compulsão organizacional nunca antes experimentada. Com o tempo e uma tenacidade lúgubre, foi transformando o que fora paraíso numa prisão. Movida a mágoa, ia fazendo e desfazendo a despeito do marido, e tão perniciosa era sua liderança que – além de desmontar a personalidade dos filhos – acabou por destruir o esposo também. E este, o pai, era um italiano ingênuo e cândido, com toda uma outra história, que não conseguiria contar por ser sua morte recente, Me perdoe, mas acabaria com nosso almoço.

Mudamos de assunto, não tinha importância, tudo interessava, e, ora, tínhamos uma vida pela frente. Quem afirmaria o contrário naquele momento?

João dissera que se sabia diferente de qualquer pessoa, que era outro, e que me apreciava, não pela notoriedade, mas por motivos diversos. Eu nem andava *notória*, tinha me retirado de cena por anos seguidos, estava voltando a me expor publicamente porque precisava testar minha expressividade de intérprete, mas não pretendia ficar naquilo por muito tempo, a ideia era retornar o quanto antes ao ateliê e às esculturas que produzia fechada num rito solitário, recolhida ao fundo de minha introspecção. A menção quase pejorativa a uma notoriedade incomodou. Com os ânimos distendidos pela conversa boa, a comida, o afeto, mencionei o desconforto, meio brincando... Será você o único que percebe em mim características gostáveis independentes da figura pública? Se for, estou perdida, estou prestes a voltar para a toca.

A verdade é que, por presunçoso que pareça, jamais imaginei que alguém se encantasse comigo por aparecer em revistas. Soube desde cedo que minha conversa, a surpresa diante dos acontecimentos mais prosaicos, o interesse que mantenho pelo entorno, o amor aos prazeres, o hedonismo, enfim, que herdei de minha mãe sempre foram atraentes o bastante para se sobrepor à personalidade pública já no primeiro contato. Sou segura disso e não exibo modéstia. Minhas inseguranças são de ordem emocional: jamais me sentirei suficientemente merecedora de afeto. Por mais simpática, bela, heroica, íntegra, famosa ou olímpica que consiga ser ou parecer, nem por um segundo me livrarei do vazio que se fez no amor que não houve quando ainda não era hora pra isso. O aleijão vem de longe e seguirá comigo; vivo com um buraco cavado dentro, e, pra dizer a verdade, vivo bem, dei meu jeito.

Disse-lhe essas franquezas com certo cuidado pra não parecer a rainha da cocada, porque, com João, eu não era nem marquesa, estava mais pra Oliver Twist; ele tinha o poder de me projetar ao topo da insegurança. Esse homem manco, magoado (igual à mãe que descrevera) e empedernido não reconhecia meus esforços para agradá-lo e não se deixava enfeitiçar. Algumas vezes pensei vislumbrar certo sadismo na forma como me repelia, ou na maneira calculada de me ser indiferente. As cordas neuróticas de minha estrutura começavam a vibrar (sorrateiramente, e sem que me desse conta) com suas negligências constantes, e algo em mim se alimentava do mal que ele fazia ao oferecer pequenos momentos de lastro pra depois recuar forte, e sempre.

De noite na cama a seu lado, eu costumava imaginar que se tivesse coragem ele me sufocaria enquanto dormisse. Não sei por que pensava isso, algo nas bordas do seu olhar às vezes parecia denunciar perversões de natureza temível. Então, talvez fugisse de mim para se conter, talvez fosse hostil para que eu mesma me afastasse de algum mal maior. Podia ser... Logo a suspeita se dissipava porque eu não seria doida a ponto de buscar tão diretamente o trágico. Não, a coisa ali era mais intrincada do que as bordas apontavam. Este era um tipo que vivia pra dentro, sem forças pra grandes gestos. Afundado na melancolia, não havia espaço para mais nada. A tristeza tomava o centro do palco, e o nada, o não fazer, o não sentir, a morte, enfim (não a minha mas a dele), talvez lhe parecesse mais sedutora do que um reles caso de amor. Porque o amor faz doer, enquanto a morte é suave, neutra, eterna.

Eu precisava encontrar uma estratégia pra dobrar aquele homem. Bancar a difícil para subir de valor não era movimento a considerar; além de cansativo, não seria notado, e, caso fosse, provocaria o efeito contrário. As chances de quebrá-lo estavam em reafirmar meu afeto até o paroxismo. Será que eu tinha o necessário? Será que ele valia o esforço? Será que eu chegaria a saber? Aos 50 anos, João padecia da primeira desilusão amorosa, aquela que todos vivemos aos 15, quando a pele é delgada e permeável e o coração ainda não teceu cicatrizes. Sensível, armado, nunca se deixou envolver nos ardis de uma relação pra valer; a única vez em que se lançou, a mulher o traiu, expondo-o ao mundo como figura indigna. O desapreço que sentia por si, por aquilo que cresceu enxergando no espelho, a imagem que o olhar de sua mãe, cada dia mais bêbada, replicava a cada oportunidade, era agora um fato miseravelmente confirmado.

Às vezes eu sentia pena de seu acomodamento, parecia atolado no convívio consigo mesmo, sem impulso para transcender. A morte de Charlotte devia servir de atenuante para o quadro, já que o destino o havia vingado, liquidando-a, mas, ao contrário, servia-lhe de reforço à traição, como que dobrando o sentido de abandono por uma justa causa. Explico, porque essa mecânica compreendo bem. Quando Afonso ficou doente, senti como se o cancro e a possibilidade iminente de sua morte prematura fossem um golpe pelas costas em nosso acordo amoroso. Como se, ao me seduzir, Afonso não me houvesse prevenido de que poderia nos deixar cedo demais, assim como me haviam feito mãe, pai, irmão, tios, amigos, todos os outros. E, por essa traição maior (e não as outras tolices, com amantes eventuais), nosso casamento se desfez enquanto eu assistia a ele definhar, magro e entubado dentro de uma UTI.

João já conhecia bem minhas manias culinárias, então, aquela tarde, deixei que escolhesse a comida, ele compreendia os nomes do cardápio e tinha prazer em fazê-lo. Entre um assunto sério e uma bobeira qualquer imitávamos atores que nos haviam impressionado – João conhecia cinema. Dianne Wiest, em *Tiros na Broadway*, virou nosso hit. No filme, Wiest faz uma diva afetada que a todo instante rechaça John Cusack, o jovem escritor encantado por ela, com um, Please say no more! A imitação dessa frase repetida *ad nauseam* nos levava às lágrimas. Pelas tantas sequei seus olhos e, como estava nisso, perguntei se me deixaria tirar também suas olheiras com uma maquiagem corretiva. Sim. Retoquei também meu batom e ficamos ambos lindos. Tudo podia, o restaurante estava cheio, mas não havia ninguém no mundo...

Depois de algumas horas, levantamos e João sugeriu que fôssemos tomar o café no hotel ao lado. Sentamos no lobby do La Gloria, e tive a impressão de que escolheu aquele ponto porque queria me exibir. Ele precisou tratar de alguns assuntos de trabalho ao telefone, pediu minha opinião, usei de bom senso, ele gostou. Apareceram uns amigos gays, chiquezinhos e franceses que me abordaram en français, eu respondi fluente, porque o conhecimento do idioma me vem de família. Ele ficou impressionado, não disse nada mas percebi. Depois, como já chegava minha hora, voltamos andando para meu hotel. Na esquina mais escondida do caminho o encostei contra a parede, puxei-o forte e o enlacei com perna e braços, como um polvo esfaimado. O beijo foi longo e bom. Quando acabou ele mediu minha roupa de cima a baixo e falou, Você é toda elegante. Eu o beijei de novo e seguimos andando o pedaço que ainda faltava. Ao chegar ao hotel, esperei que pedisse para subir um instante – ficara excitado com o amasso da esquina e eu senti nas coxas –, mas João me deu um selinho, virou as costas e saiu andando.

À noite

Depois do teatro, passei-lhe um SMS.

Foi bom pra você?

Foi, amor. Eu não vou me drogar though

Já eu estou um pouquinho drogada de álcool. Não entendi o though. Ta em casa?

Tipo "não espere fotos malucas minhas hoje"

Você deixa eu ir aí?

Marcelo Ferreira, da revista Cenarium, está aqui. Hospedado.

Você dorme com ele? Não estava pensando
em pular na sua cama, so dar uma passada,
mas ok, se não da pra receber uma mulher no
contexto dos homens doidos, eu me resigno.
The night is a child, lá vou eu, tcharam!

Please say no more! No more words
Pleaaaaaaaseee don't speak. E
eu não sou gay, porra!

Então perfeito, dou conta dos dois :-)

Amor, não dá.

Te adoro, divirta-se.

Sem diversão. Ele acabou de despedir-se
da mulher, que foi para Londres estudar
na London School of Economics.

Tá querido, demorei mas entendi. Boa
noite. Te adoro assim também ₂zZ 😺

Eu sei. Vou te conhecendo.

Mais tarde

Ele me ligou falando coisas desconexas. Pinço algo a
esmo, e meio na sorte crio um sentido do pouco que me

oferece. Não sei mais o que era pois no fundo estava contrariada por não poder estender o bem-estar da tarde, namorar um pouco, ficarmos juntos numa sequência natural. Eu agora chegava a São Paulo às sextas e só tínhamos dois dias na semana pra ficar juntos... Era isso que me tomava o espírito enquanto tentava parecer leve para não pressioná-lo.

Beijos 😚 Bruxa!!! Enganei você, não tô doido!

> Eu sim. Tô meio alta e você não tá facilitando
> vou ficar confusa e não vou conseguir dormir.
> Tente facilitar um pouco de vez em quando,
> eu mereço, sou bruxa das boas. Fui.

No dia seguinte, ele não fez contato. Almocei com a marchand dos vasos, passei no MuBE para ver o movimento em torno da exposição, e pensei nele, pensei nele todos os minutos. A vida não abranda o giro para aguardar que a paixão atravesse. Deveria. Deveria haver excepcionalidades, ou algum interdito, posto que o apaixonado encontra-se disfuncional e pode comprometer o andamento das coisas comuns. Suas conversas tornam-se distraídas, os carros só se movem na direção que ele lembra de olhar, os pedestres correm riscos por se esquecerem de sair de seu caminho na calçada, a vida autêntica fica impraticável, enfim. A paixão é uma assimetria que se interpõe entre o que o mundo quer da criatura e o que ela tem a oferecer, e o apaixonado fica ali, assimétrico. Independente de se estar eufórico ou frustrado – os dois polos que compõem este lugar sem meio –, o ser opera à distância, um filamento mínimo a ligá-lo com as miudezas do quotidiano. Naquele dia eu me esforçava para focar na comida, nas pedras do pavimento, na roupa de alguém, no penteado, e buscava detalhes que me livrassem, por segundos que fossem, de meu atrapalhamento interior.

A caminho do teatro, pingou uma mensagem.

Boa peça, Stella!!!!!!!!!! Faça a melhor da melhor!

> Hoje eu gosto d você mais q
> ontem. A conversa me fez BEM

Pois eu adoro você igual. Você só me faz bem.
Meu amigo lembrou-se que deu uma carona
pra você e um namorado até um ponto de
táxi saindo de um café em Higienópolis, num
aniversário de alguém da banda do Chico.
Corrigindo: Ele deixou vocês no Unique. Você
de pileque falando absurdos. Alguém disse
que ele era jornalista, numa dica para você
ficar quieta Aí você disse: ai, então já fodeu.

Oh céus ele deve me achar de quinta.

Acha você de primeira. Achou você
legítima. E o fulano, um cagão.

Ufa. Eu não o liguei a nada quando
você o apontou na posse do Bauman.
Mas gostei da vibe, não havia
qualquer afetação naquele homem.

Eu disse para ele: das mulheres que conheci,
você foi a que mais conciliou inteligência,
autenticidade, conhecimento, cinismo e beleza.
E nunca uma mulher me conheceu tão fodido...
Ele queria escrever a história do cocô de pombo
na Cenarium. Eu não deixei. Ele chorou de
rir. Quis reconstituir a cena do crime pombal.

Kkkkkk tenho q entrar tô parada na
porta do teatro rindo sozinha as pessoas
passam e pensam o q pensam. O diretor
do teatro acabou d pegar minha mala e
tá me empurrando pra dentro, beijos mil.

Te adoro com todas as minhas forças

Mmmm. Tô com a sensação que isso
vai ser bom d doer quando ficar bom

Doer?????????? Não quero

> Má escolha, digo, de pular, de
> voar. Doer d bom é um oximoro,
> eu gosto de oximoros. E gosto de
> poder usar a palavra oximoro :-)

Sentia-me agora exultante! Essa história de que a gente precisa sofrer pra fazer arte de qualidade não serve para o teatro. Estando feliz ao entrar em cena, o envolvimento se dá por inteiro, fica-se mais sagaz quando por dentro vibram maravilhas. Teatro (todas as formas que se dão sobre um tablado) é a única arte que se faz na presença do público, com o público. À exceção da música com seus concertos e incríveis jam-sessions, um livro se escreve antes, um quadro se pinta só, no ateliê, um filme é rodado e montado longe das plateias a que se destina, a peça é na hora, no palco. Aquela noite estive em perfeita simbiose com minha arte, e o público confirmou gritando bravos ao final. Quão esplêndida é a vida do ator!

Era domingo. A caminho do aeroporto para voltar ao Rio, pinga uma mensagem:

Quem você preferiria? responda rápida: dar prum Black Block ou prum Cueca Preta?

Cueca preta só conheço o namorado
da filha que usa, e pra ele não dá
pra dar. Black block também é
foda. Posso dar só pra você?

Ele continuava:

Cocô de pombo na cabeça ou pisar
na merda de cachorro descalça?
Vanish por excesso de droga ou pela abstinência?
Ser um homem lindo consciente das
mulheres lindas que o cercam ou ser um
homem feio sem ter a exata noção do
que faz a mulher linda lhe querer?
O que é pior? Passar uma vida sem
ouvir Sugar Man ou nunca provar
um ataif de nata do Arábicus?
O que é pior: amnésia completa de fatos
traumáticos do passado, perdendo, com
isso, sua própria essência, ou lembrar-se
deles todos os dias sem conseguir resolvê-
los (não vale aqui a alternativa intermediária, a
politicamente correta, que abomino e que
nunca funciona na prática)? São essas as
perguntas que dirijo hoje a você, meu amor.

Ele agora dizia *meu amor* muitas vezes, mas só por mensagem.

Havíamos falado de como operavam por mecanismos distintos nossas memórias, a minha e a dele. Contei-lhe que lá atrás, quando Bernarda ficou paralisada, devo ter empurrado uma enormidade de vivências para algum ferro-velho do cérebro e deixado ali até o dia em que criasse lastro pra lidar com elas. O problema era que, junto, haviam se colado histórias benignas; encontros, viagens, lugares, tudo havia me escoado por algum buraco da cabeça. Não piorava com o passar dos anos, ou a dispersão, ou com a mania de controlar as coisas como sugeriu a psicanalista de minha filha Ana, parecia mais uma doença estável, sem diagnóstico, e incomodava porque roubava da vida, e sempre, nos momentos mais palpitantes. No meio de uma conversa boa, aquele hiato vergonhoso. Meu passado era um terreno esburacado cheio de ruelas mal iluminadas levando pra lugares desconhecidos.

Coco d pombo divisor d aguas, q impõe a abstinência malévola, mas q faz tudo ficar fluido depois entre o homem vulnerável, e lindo por isso, com a mulher linda, e vulnerável por ele.

Mas eu não sou lindo. Só vulnerável

> Beleza some quando a gente
> olha todo dia, a vulnerabilidade
> e todas essas coisas q vem da
> verdade, não. Is it not, dear?

True.

> Vou decolar meu lindo

Mas você disse que sou lindo. Não sou. Quero
ser um feio charmoso. Quero 15 minutos olhando
nos olhos das mulheres e podendo jogar minha
rede. Pensando bem, sem olheiras, então, vou
longe. Posso chegar até você. Decole, mas desça
no reino dos mortais, onde habito. Te adoro muito.
Sei exatamente o bem que me faz. E a angústia
que te fiz viver. Perdão. Meu presente para você.

Era um link do Youtube com o vídeo da sobrinha dele
cantando "Sugar Man" dentro do quarto, sentada na
cama de cabelos soltos e desgrenhados, de um jeito
meio roqueiro, violão, voz afinada, cheia de estilo.

Liguei pra ele assim que desci do avião. E ele:

– Ela é ou não um talento? Em três horas! Ouviu o
Sixto Rodriguez que levei pra ela e tirou de ouvido.

– Ela é excepcional!!! Tem graça, estilo próprio, bom gosto, linda voz, e faz um tipo low profile, relax-natural-gostoso. Eu ameeeeei!

– Eu também, Stella. Disse que era para eu dar para uma pessoa especial. Pra você. Doze anos de idade! Você fez ela cantar.

– Tô boba. Como não me apaixonar? Cheguei em casa, junto com Ana, depois te falo. Obrigada, obrigada e um monte de coisas que agora não sei dizer.

Tenho duas filhas, Flavia, que vive comigo, e Ana, a mais velha, que se mudou para Londres há um ano para graduar-se em biologia molecular. Ela havia conseguido duas semanas de férias e chegava agora ao Brasil depois de uma curta viagem pelo sul da Europa, acompanhada do namorado. Eu estava cheia de saudades e ela cheia de assuntos, abrimos um vinho e conversamos até o amor sossegar. Sempre achei simples a maternidade, nunca me pareceu um impedimento a qualquer outro afazer. Carreguei minhas filhas a todos os lugares sem muito pensar, apenas levava, e a rotina ia se organizando naturalmente em torno daquela realidade. As meninas não foram submetidas a situações de grande risco nem sofreram desconfortos extremos. Nas viagens a países distantes, quando eram obrigadas a perder aulas, a experiência e os conhecimentos ganhos com as adversidades, as vivências inusitadas compensavam aquilo que professor nenhum ou mesmo livros poderiam oferecer. Naquela noite eu escutava a conversa tranquila de Ana, a forma salutar com que discorria sobre todas as coisas, e me admirava com a inteireza dela. À minha frente encontrava-se uma mulher que não se parecia com nenhuma outra, e que, sendo distinta, não demonstrava qualquer necessidade de se impor: perceberia seu valor quem tivesse a curiosidade de olhar, e pronto! Ana era forte e suave em doses perfeitamente equilibradas. E pra falar a verdade eu não sei como isso aconteceu, porque tudo na vida me foi custoso, menos a maternidade. Aparentemente, foi nesta função que mais acertei.

Antes de dormir, o bem-estar esparramado em mim, reforcei o meu apreço pelo mimo inusitado.

> Ouvi d novo. Além d tudo a Laila em si é uma graça, quando desmonta da roqueira e vira uma simples menina no quarto, que linda! Um segundo e a gente percebe como é especial. E você, como é bom nesses sms. Eu fico relendo. Não li mais o primeiro de todos mas foi ali, na sua escrita rápida de sms, q eu parei, e, opa, tem coisa aq. Vou até olhar melhor. Não pelos elogios apenas, mas pelas obs precisas… E claro, pelo

acerto na mão d merda pra aquela moça
chatinha que todo mundo diz ser inteligente
e que eu, a tendo conhecido, sempre achei
só desagradável e armada, meio fake. Boa
intuição usar justamente esta pra alicerçar
um elogio. Você eh muito especial. Q bom.

Chega uma foto do Pedro.

Pedro tá aí? Acordado? Q sapeca!

E sua filha? E o reencontro?

Vimos fotos, Ana contou o dia a dia no
campus, falou dos lugares em que esteve
na viagem. Foram de carro parando onde
dava vontade. O namorado comportou-se
lindamente (coitado do Afonso, vai dar
trabalho destitui-lo do trono que ocupa na
vida da filha). Contei de você, que estou
encantada e mexida. Ela ouvia interessada.
Tem paciência para servir de interlocutora
à vida amorosa da mãe. Com a Flavia
eu tento e ela condescende mas não
se prende, está enrolada na própria teia.
Ana, de nós três, sempre foi a mais bem
resolvida na lida como o amor, sobra-lhe

espaço pra ser generosa com quem tem
menos sorte. Contei pra ela que você eh
neurótico e tem raiva, "só não apertei o
gatilho". Ela ouviu tudo e disse, Isso não eh
ruim, preciso vê-lo pra saber o que acho.
Parece que a filhinha gostou do conjunto...

É que, durante o almoço revelador, João me confessou
que se identificava com meu pai – que em nossa tragédia familiar aleijou minha mãe com um tiro de revólver
– e que no desfecho com a psicopata só não apertara o
gatilho. Um detalhe, dissera.

Pedro voltou da viagem. Disse que dormiu às
5 da manhã de medo. E que todos dormiam.
E que ficou com saudades. E eu, frio (como
você ensinou), disse para ele enfrentar.
Perguntei se valeu a pena. Ele disse que sim.

Bravo menino criando couro. Virá a
calhar ali na frente. Melhor ter.

O filho dele era tímido. Sem perceber João era mais per-
missivo com o menino do que com Lica, e não por esta
ser mais velha, mas por excesso de cuidado mesmo, me
parecia. Eu andava às voltas com a leitura do filósofo

francês Luc Ferry e suas teses sobre a educação, ele que foi ministro do setor em seu país. João quis saber a respeito e fui explicando de memória.

Diz que a educação no Ocidente está estruturada em 3 pilares, o cristão do amor, o judaico da lei (de Moisés), e o grego do saber. O amor é mais importante, sendo fundamental para a construção do caráter forjado na autoestima. A lei são as regras que a tudo ordenam, mas que o século 20 flexibilizou excessivamente; não é produtivo negociar com uma criança por horas sem fim, diz-se sim ou não, e acabou. (Vez ou outra pode dormir às 21:30 e não 21h, mas isso não vale para toda circunstância.) Os pequenos precisam de fronteiras delimitadas para se guiarem entre o certo e o errado num mundo em que os bens possuídos conferem mais valor do que as conquistas que fazem. E aqui entra o pilar do saber. A única maneira de se lutar contra a epidemia do consumismo é incutindo nas crianças o desejo de compreender o que está contido nas grandes histórias da mitologia grega, nas fábulas, etc., é mais ou menos o que diz o Ferry. Veja que interessante: em Cinderela, a história dos irmãos Grimm que deu origem à outra tornada famosa por Walt Disney, as irmãs más tem os olhos perfurados por pombos, e são condenadas a usar sapatos com lâminas de ferro incandescente nos solados até o fim de seus dias, e, no entanto, nenhuma criança se choca com essas perversidades. Pelo contrário, acham muito natural que os maus sejam punidos enquanto os bons levem a vida a cantar. Se o preto e o branco estiverem bem definidos, elas saberão onde colocar os cinzas e outros tons na hora de tomar as próprias decisões. Enfim, é preciso contar histórias, muitas histórias para as crianças. E saber dizer não para os pedrinhos, com amor mas sem precisar de uma longa discussão em seguida.

Lica chegou agora. Anda com medos também... Prefiro ela com medo do que ela sem medo com o black underwear

Deixemos isso pro futuro falta chão. Mas com a estampa dela eh melhor você gostar de cuecas de todas as cores

Classe executiva!!!!!!

Você é muito bobo. Fico olhando essa maquininha e rindo. Larissa, minha parceira, comentou que eu parecia uma adolescente hoje, na entrada no

teatro, com o cabelo jogado na cara pra não me
reconhecerem e rindo sozinha sem querer entrar.
Acho que regredi muito esses últimos tempos.

Você se apaixonou pela maquininha e pelos
SMSs. Vou te contar. Sou muito lindo, mas só
falo besteira, por ser burro feito uma porta.

Vou dormir João. Querido... Setor sono muito
lesado, quem sabe agora, na minha cama
e com paz dentro depois daquela conversa
restauradora, eu consiga descansar minhas
oito horas tão cherished e necessárias

Conheço um cara feio mas talentoso com as
palavras que te escreve como se fora este que vos
escreve agora (sou eu ou aquele?) Sonhe Beijos

Você é talentoso, feio, lindo. E mentiroso. E eu
gosto de todos que compõem o conjunto.

Mentiroso?????? Por essa não esperava.

Ah e acho q quando você diz cínica devia
mudar pra irônica ou sarcástica.

Somos dois, sim. O do remédio, doidão, e
o do alter ego. Cínica. Cinismo é uma
qualidade. Mas admito, não é fácil de engolir

o conceito. Mentiroso só em relação a
brincadeira do cara q você conhece?

Claro amorzinho.

A vida impõe aos mais brilhantes certo tipo de
cinismo Falamos amanhã. Durma bem com
a filhota. Beijo na testa. Depois, na boca.

O beijo é de língua?

Testa e boca.

Longo?

Sim. Mas a testa é necessária.
Antes da boca e da língua

Tá. Então boa noite, tô toda beijada.
Té manha 🧚🏻💋🍷 na verdade não
encontrei uma figura q represente meu
momento. Eh possível que meu momento
seja mais complexo que a oferta de
figuras. Oh shut up Stella. Luv you

Luv u 2

O pai de Stella atirara na mãe, deixando-a tetraplégica até o fim de seus dias, três anos mais tarde. A maior parte deste tempo, a mãe sobreviveu entubada numa cama de hospital. Stella se considerava corresponsável pelo crime por ter fornecido as informações que levaram ao desvario na tarde seguinte. "Se não tivesse contado ele ficaria com a dúvida, e não a teria aleijado." Durante os anos em que aguardou o julgamento por tentativa de homicídio, matou a mulher centenas de vezes na noite vazia do sítio para onde se mudou a fim de que o deixassem enlouquecer em paz. Bradava seu ódio, levantava o braço e apontava o revólver para o boneco que pregou num muro ao fundo do terreno. Noite após noite, alvejou a esposa de madeira até que a infiel se esfarelasse e dela sobrasse apenas um fantasma esburacado. Não sentiu uma gota de arrependimento. Ao saber da morte da mulher (um dia antes do julgamento que o levaria à prisão), praticou seu jogo uma última vez. Depois, levou o revolver à boca e apertou o gatilho. Morreu na hora.

Eu buscava detalhes, fazia perguntas sobre a vida em família antes e depois do crime, vibrava com eles. Desde o início, mais do que os fatos, me interessei e afeiçoei ao pai, aquele homem que amava a mulher, que amava demais. Stella discorria sobre seus espasmos amorosos e eu me colocava nele, vestia sua pele. Sentia-me bem ali. Tive inveja por ele ter feito o que eu deveria. Se houvesse saído de casa sem matar a esposa (porque, mesmo não tendo sucumbido de imediato, a infiel estava morta), só com o sofrimento e a humilhação exponenciais, o que teria acontecido? Meu palpite era que o suicídio se daria bem antes. O suicídio! Não fosse eu um bosta incapaz, essa seria também a solução digna para mim.

Stella contou que, nos três anos que se seguiram à tragédia, ao longo do tempo em que tratou de sua defesa "sem qualquer entusiasmo", o pai elaborou um testamento em que apontou tutores para as filhas, distribuiu seus bens, e deixou cada mínimo detalhe organizado para o dia da partida, que ele, e ela, sabiam iminente. Se fosse preso encerraria seus dias. Apesar do atentado, conseguiu manter contato com as meninas, e não faria sentido viver senão pelas filhas, de quem cuidava como podia. Elas ainda o queriam bem. Stella não conseguia tocar nele, não podia abraçá-lo, beijar, mas amor é outra coisa, dizia, "Fica além do repúdio físico". E as três meninas o visitavam escondido da mulher.

O pai de Stella virou uma espécie de herói. Eu o amava. Não amava a filha mas amava seu pai. Quanto à mãe, Stella contou que por muitos anos ela própria viveu do jeito que, supunha, Bernarda teria escolhido se o futuro não lhe tivesse sido amputado. Amou homens, seduziu mulheres, traiu, foi livre e festejou dia e noite por décadas de desvario. Levou aquilo à exaustão. Quando sentiu que bastava para vingar a alma hedonista da mãe, freou o turbilhão e desceu. Resolveu dar duro no trabalho, que não ia mal, mas ia sem paixão. A atriz havia sido relegada a um plano secundário porque, afinal, não se pode fazer tudo às últimas consequências. Ao se expor publicamente sem a entrega necessária, enquanto o público a aplaudia, Stella se lamentava. Era filha de quem era, por pai e por mãe, gostava de seus feitos levados ao limite. Então, para deixar emergir a intérprete que necessitava ser, interrompeu a carreira. Por um par de anos recolheu-se a investigar questões metafísicas. Matriculou-se numa faculdade e formou-se em filosofia. Buscava um sentido para o mundo. Não encontrou, mas no processo percebeu algumas coisas de si. Nas horas vagas precisou mexer com formas mais concretas e aprendeu a tornear o barro. Fazia pratos, copos, cinzeiros, e uns bichos disformes que dava de presente aos amigos preocupados em vê-la abandonar *uma carreira de sucesso.* Foi gostando daquilo e quando deu por si havia virado escultora. Enquanto esculpia pensava. No processo de imaginar mundos mais prováveis, tocava em sua própria natureza, mexia em fundamentos que haviam sido negligenciados por demasiados anos: todos aqueles em que viveu na folia a fim de restituir à mãe o que o pai lhe havia tirado. Um dia olhou pra trás e pensou: "Esta festa já dura trinta anos. Chega!"

E saiu da toca. Sentia-se agora equipada para exibir sentimentos recolhidos desde a adolescência. "Eu tinha medo de mostrá-los, confusos e desarrumados. Não conseguia mexer naquilo à vista de toda a gente. Agora estou inteira, chegou minha vez."

Tendo esmiuçado a condição humana pela abordagem acadêmica, e sentindo-se também empanturrada dos mundanismos vividos, queria agora casa e trabalho.

Sem sexo.

Até me encontrar.

Mas isso deixemos pra mais tarde. Me aflige, só de tocar no assunto escorreu-me um fio de suor da cervical ao cóccix. (Como se não bastasse a posição incômoda: pernas estendidas sobre um colchonete irregular, com as costas apoiadas na parede fria de um quarto de fundos mal-iluminado.) Temo que interromperia este já longo relato para não mais voltar.

Nasci de frente para o mar. Sempre achei que a cor dos mares fosse algo imutável. Me lembro de ter ficado extasiada diante do mar de Maceió, quando vi pela primeira vez – eu tinha 15 anos, faz tempo –, porque era mais azul, um tom entre o verde e o azul cristalinos, mas ainda assim, sendo mais lindo, continuava azul. A cor do mar pra mim era dessas coisas que *são,* como a montanha que não vai a Maomé, ou Deus na Índia, que está por toda parte, e ninguém questiona se existe ou não, Ele é!

Vivo em Copacabana há trinta anos. Há seis meses o oceano deixou de ser azul. Acordo todos os dias esperando que ele volte a si, e acontece, benza deus, um dia ou outro, bem de vez em quando. Dizem que são algas. Eu acho que é falta de Deus.

Saí pedalando pela orla, no Posto Seis parei, aluguei uma prancha e remei em direção ao Leme. No meio da praia me deu vontade de rumar pra dentro porque a cor da água era mais bonita, e foi o que fiz. Lá pelas tantas um dos rapazes que alugam pranchas veio ao meu encontro. Deslizando por cima das águas, ele parecia um Cristo imberbe e meio nu. Perguntei se iria comigo até o quebra-mar. Sim, claro, podemos atravessar ali entre os corais e a pedra do Forte, quer? Quero. As ondas cresciam à medida que nos aproximávamos, mas não o suficiente para desequilibrar e cair. Quando viramos a curva na ponta do Forte percebi que havia, do outro lado, uma enseada de areia totalmente deserta, encravada entre Copacabana e a Praia do Diabo. O acesso era pelo mar, ou pelas pedras. Remamos até lá e descemos na areia. Eu me senti uma criança do interior na praia pela primeira vez, correndo pra lá e pra cá. Não acreditei que, depois de todos esses anos, fosse descobrir uma praia deserta a três quilômetros de minha casa! Pertence à Marinha ou ao Ibama?, perguntei, mas Cristo não soube dizer. Depois da aventura, voltamos remando, e no meio do caminho pedi ao rapaz que arrastasse minha prancha enquanto eu nadava de volta, do meio do oceano até a praia, uns setecentos metros. Abuso. Mas ele era tão solícito e o mar estava tão convidativo... O mergulho me congelou os ossos – gostei do choque –, faria bem pras dores que sinto no corpo por conta das fraturas que os anos e os desvarios deixaram em meus ossos. Cristo seguiu remando ao meu lado, dava toques para otimizar meus movimentos, por hábito, Espero que não se incomode, é que na parte da tarde sou professor de natação. Não me incomodei.

A água está cor de cana mas as areias ficaram muito mais limpas desde que a prefeitura iniciou a campanha Lixo Zero. Dá gosto.

Quando cheguei em casa eram dez horas. Às dez e meia, de banho tomado, estava pronta pra tocar o dia. Sigo. Penso em João, lembranças de nossos momentos se intercalam com as atividades do dia, tenho vontade de partilhar com ele pequenas reflexões, um instante de surpresa, esses lances corriqueiros que ganham relevo quando os descrevemos para alguém querido. Saudade é o que acontece quando um momento que seria perfeito fica incompleto por falta de alguém. Não sei se João pensa em mim ou se só existo quando me faço presente.

As horas passam, o dia passa, a noite passa, manhã, tarde... Na noite do dia seguinte envio uma mensagem:

> Fico tranquila que tudo esteja correndo como de hábito. Quanto conforto há nesse silencio corriqueiro velho conhecido, tudo na normalidade... Que delicia. Muitos beijos. Durma em paz querido meu.

Amor, estou ao telefone. Lauro Antunes teve seu sigilo quebrado. Foi matéria do Jornal

Nacional. Você sabe, é meu amigo, estou aqui
tentando auxiliá-lo através de alguns contatos.
Adoro rever seu cinismo. Mesmo. Silêncio
corriqueiro, velho conhecido é poesia pura.

Você e meu amor (queira ou
não queira, danou-se)

Nem importa quem eu sou. Sou seu amor,
querendo ou não. É isso? Tenho 90 cm em cada
perna, querendo ou não. Sou loiro, querendo ou
não. Pombos não me cagam, cagando ou não!!!!!!!

Eu te adoro. Fishing for compliments!
Você eh imenso, eh o q enxergo, e
assim eh, e se confirma dia a dia

Até mais alto me sinto!!!

Estou assistindo a um documentário sobre
Leonardo da Vinci, meus parâmetros estão
lá em cima. Parece que ele sim era alto e
lindo. O homem vitruviano, aquela figura
d proporções perfeitas, espécie de logo
da Renascença, eh um autoretrato. Gosto
mais de você do que do homem vitruviano.
Cuide de seu amigo. Vou dormir ❧

Durma, amor. Beijo na testa e na boca.

Manhã seguinte

Não se sinta pressionado, estamos no
principio do dia, tudo ainda vai piorar. Mas
preciso saber: o convite está de pé? É preu
ir no aniversario da Lica amanhã? Preciso
tirar a passagem... Comprei presente 🎀

O convite está super de pé. Mas a
adolescente não ajuda. Não quer ficar em
casa. Quer passar a noite e dormir na casa
de amigas. Tá lá conflitando com a mãe.

Posso sugerir?

Claro. Por que não?

Faz em casa com hora marcada pra acabar,
tipo saxões. Quando a família estendida for
embora (cedo) as amigas ficam pra dormir.

Ela não quer misturar amigas com família.

Mmmmm. E se agradar a família num
dia e no fds faz um slumberparty.

É o que eu sugeri Vamos ver as deliberações.
Ela está na aula. Esse debate começou ontem
à noite e se arrastou até hoje às 7, antes da
aula. Ela volta da escola para minha casa.

Almoçamos juntos e aí eu tiro o exuzinho de
dentro dela. Te ligo às 13h. Dá tempo?

Família eh uma bosta, decepciona envergonha,
mas é nossa. Quando meu país joga na
Copa eu celebro com os meus, porque eu
amo meu país! Minha família eh meu país!

João me envia um texto de Affonso Romano de Sant'Anna
ora político, ora poético sobre como crescem as crianças:
"(...) Crescem como a inflação, independente do governo
e da vontade popular. Entre os estupros dos preços, os
disparos dos discursos e o assalto das estações, elas crescem com uma estridência alegre e, às vezes, com alar-
deada arrogância. Mas não crescem todos os dias, de
igual maneira; crescem, de repente (...) Elas cresceram
sem que esgotássemos nelas todo o nosso afeto (...)."
Segue nisso, bonito, esclarecedor.

Fui tentar mostrar o meu presente pras meninas
e não tava mais no youtube. Pluft. O meu q
você m deu, digo. Será que a Laila o retirou?

Vou ver.

Às 13 ele não ligou. Às 22h chega um SMS.

Ela quer (só aceita) jantar com pai,
mãe e irmão. Go live with that...

Tá certa. Tá certo.

Não gostei nada daquilo, parecia mentira das boas, um novo recuo, igual ao de todas as vezes em que ele se apavorou por ter agido num impulso emocional. João havia me convidado pra algo exclusivo, pretendia me apresentar a seu mundo mais privado. Reunião com irmãos, mãe, ex-mulheres, filhos e amigos próximos pode ser de um constrangimento graúdo, a gente não chama pra algo assim alguém em quem não confia e respeita, ou em quem – talvez fosse o caso – desejamos confiar, e se passar no teste entra para o clube. Na hora a surpresa com seu gesto me arrebatou e não soube expressar o quanto me havia sensibilizado, apenas agradeci, suponho que com a expressão abestalhada. Quanto tempo ele ia esperar agora pra me desconvidar? E se eu surgisse na festa, tendo cancelado afazeres e ajustado a vida a fim de conseguir viajar em dia de semana? Devia ter feito exatamente assim! Agora era tarde. Permaneci quieta em meu canto. Brava.

Por aqueles tempos, estava circulando na rede um texto de Clarice Niskier sobre o momento ideal da mulher. Ela se comparava a um queijo gorgonzola, que apesar de passado do ponto é uma iguaria para poucos, ao contrário de uma prosaica ricota ou do queijo amarelo para lanches sem compromisso. A autoria do texto de Clarice, por equívoco, vinha sendo atribuída a mim, por conta talvez daqueles ensaios tímidos que rabisco em minha página na web.

Às seis horas da manhã, recebo a seguinte mensagem:

Deus eu sou um minas frescal ou uma ricota?

Não respondi.

Dia seguinte

Era quarta-feira, aniversário de Lica.

Parabéns por sua filha.
Dê um beijo nela por mim

Obrigado, amor.

Amor? Falso!

Embarquei para São Paulo um dia antes. Por conta da comemoração, havia planejado compromissos para o dia inteiro de quinta. A noite estava livre, e já me sentia mais leve.

Vamos ao cinema? 20h?

Escolha o filme. Bj

Duas horas depois

Sério, vamos?

Três horas depois

Muito difícil minha pergunta?

Duas horas depois

Você é um queijo muuuito difícil d se encontrar. Nem sei se existe. Penso às vezes que é o rato q comeu o queijo d q eu gostava tanto, ou pensava gostar. Provei tão pouco, amor...

Marquês de Sade: "Dá-me a parte do teu corpo que pode satisfazer-me por um instante e goze, se assim quiseres, da parte do meu que te pode ser agradável."

Aquele homem não me dava nada!

Algum tempo depois

Você me deixa triste, não me atende,
não responde. E só reage. Não se
manifesta de forma espontânea.
Tenho me sentido idiota. Devo ser.

Stella, eu estou no meio do trabalho. Só
achei engraçado o fato de você exigir
respostas imediatas quando não responde
imediatamente às minhas mensagens. E eu
acho OK, pois não sou dono do seu tempo.

Eeeeeuuuuuuuu? Uma única vez,
às 6 da manhã! Sinceramente!

Eu não posso mesmo te dar o que quer.
Mesmo. Tendo ou não tendo compromisso
com o passado, sendo ou não deselegante,
estando ou não deprimido. Acho que
não orna, como diria minha avó.

Uau. Por sms eh inédito pra
mim. Que pena querido.
E olha q só convidei pra ir ao cinema...

Please, say no more!!! No more words!!!!

Tudo o que cercava aquela mulher, sua história de desfechos trágicos, as mortes e traições a colidirem com o fracasso de minha relação anterior, foi acionando alertas em meu interesse por Stella. Cada dia eu desconfiava mais de sua afeição. Era improvável que me amasse como eu estava. Seu interesse só podia ter nascido da associação entre minha personalidade e a de seu pai. Eu era o neurótico que ela precisava curar hoje para resolver as pendências de um passado torto, e que, uma vez curado, abandonaria. Às vezes eu buscava também um quadro mais otimista. Imaginava Stella a formar comigo um casal ajustado, sem aleijamentos ou suicídio. E sem extravagâncias sexuais (na verdade Stella já vinha com a mãe incorporada, o que interferia nessa possibilidade). Era uma fantasia de vida conformada e tranquila. Seria possível? Sim. Mas apenas até ela perceber que eu não era seu pai: características detestáveis me compunham, só que menos instigantes do que as dele. Uma hora o pano ia tombar e Dorian Gray se revelaria em todo o seu esplendor escangalhado. E aí, como na versão anterior, ela partiria. As projeções se multiplicavam, todas com desfecho deplorável para mim. Como não cabia réstia de sombra em minha tempestade, sempre que uma faísca acendia, no instante seguinte o entusiasmo se transformava no próprio motivo de meus males, e subitamente eu me tomava de repulsa por Stella e todo o fatigante quadro que compunha. Sua presença passava a me aturdir, sentia tonturas e suores. Tinha ganas de eliminá-la, destruir sua incômoda materialidade. Eu precisava que não existisse.

A gente não ama com os critérios no lugar. A gente ama com o corpo. Ama mais as falhas, será? Virtudes impressionam, encantam, alegram. Virtudes incomodam. E na dúvida é bom escondê-las. Mas quem tem a sabedoria para isso? Na tentativa de agradar exibimos ainda mais nossas vantagens, até que, um dia, o parceiro se entope, perde a linha, e ofende a quem outrora complementava suas horas.

Coisa cruel o amor.

Não sei como ficam os homens apaixonados, mas numa mulher o corpo fala e diz alto. A criatura está ali desinteressada, os poros fechados ao sexo, foco em outro negócio, passa alguém que não é seu tipo, um improvável, esquisito. Ele a mira com o olhar estudado, diz algo desestruturante, e... toim, o sino toca na catedral. Então, o corpo dela balança, uma luz na espinha se acende, e dali em frente danou-se tudo, não há razão que coloque o trem sobre rodas, o aparelho se desalinhou, e a mulher – desavisada e contente feito a insanidade – se faz refém de um troço cego sem rumo.

Eu estava assim quando o feio me pegou de jeito.

O sangue que já descia pouco e irregular agora jorrava de novo entre as pernas, espinhas me brotaram no rosto, feromônios em ventania penetravam minhas narinas. Noites curtas se entrecortaram de sonhos quentes. Tinha de novo 22 anos e podia tudo. Mas e o moço que só estava passando e me olhou de relance, por vício, quem sabe? Será que ia embarcar naquela máquina acelerada e febril que a sorte, o destino – essas metafísicas descontroladas! – haviam colocado em seu caminho? Talvez a gente tenha que se retirar para manter o outro interessado. Muito do mesmo todos os dias é atordoante. A gente imagina que se ficar por ali onipresente evita que o parceiro se encante por algo diverso que brilhe mais do que nós. Talvez não seja assim. Certamente não. É preciso que sintam a falta seja do que for que compõe o ajuste neurótico único de cada par. Talvez o segredo esteja em se fazer ausente de vez em quando, não como jogo de tortura, mas para libertar a vontade do parceiro de olhar para os lados. E quando voltar novamente pra nós, se a visão for agradável, aí então, quem sabe, ele enxergue com todas as cores aquilo que havia deixado de ver?

Não sei mais nada.

Era hora de terminar aquela maluquice, agarro-me pelos colarinhos, cato meus brios e tranco todo o sentimento a cadeado. Espremidos aqui dentro eles me arrebentam, mas não dou bola, não há luz, ando no escuro e não sinto medo, só dor. Não sei o que inventei pra não adoecer daquilo, fui fazendo coisas. Um amigo que não encontrava havia anos porque ele é recluso e eu também – falta-me aptidão para estimular amizades, dependo sempre de que o façam, e só então percebo o quanto senti a ausência de alguém –, enfim, este amigo ligou, por motivo nenhum. Combinamos de almoçar em São Paulo, onde mora, num sábado, na companhia de um cineasta boa-praça com quem eu havia rodado um filme. Achei perfeito, gente de verdade, era o que precisava. O almoço seria num peruano do centro, na Rua Aurora. Não gosto muito de ceviche mas não estava ligando pra coisa alguma, fome não tinha mesmo, e achei divertido que o lugar fosse um tanto exótico. Esse amigo era dos bons, lembrei de quanto sua presença me instigava. Ao nos reencontrarmos sentimos uma alegria infantil, como se lembrássemos de brincadeiras só nossas que naquela tarde poderíamos praticar de novo, algo assim. O cineasta não veio mas apareceu um terceiro sujeito, também cineasta, com a namorada, que se sentou à minha frente. A conversa rolava solta e gostosa e o ceviche era divino, como adoro ceviche! Lá pelas tantas tocou o telefone da namorada, cujo nome não guardara, porque o papo animado se sobrepusera aos detalhes, e ela atendeu. E falou de mim! Falou de mim com a pessoa do outro lado. Então me olhou e explicou: Minha filha, Lica, filha do João. Como assim? As coincidências eram frequentes em minha relação com o homem feio, aconteciam a todo instante como mágica, mas isso já parecia perseguição. Gelei por dentro. Ao desligar ela me contou que fora aniversário da filha – eu acenei com a cabeça, bem muda – e que em seguida a menina havia viajado para um acampamento de escola, estava ligando de lá pra contar como andavam as coisas. Esbocei uma cara neutra, acho, e disse-lhe que Lica me parecera inteligente e madura, observadora, e que havia gostado muito dela. Era verdade, que bom. Mudamos de assunto e foi um custo retomar o à vontade de antes. Não sei se consegui, tentei bastante porque era uma gente que valia o esforço. Talvez tenha tentado demais e a mãe da Lica tenha percebido, espero que não.

Depois daquele dia enfraqueci, todo o ânimo sumiu, até que algo mais potente do que uma gripe tomou conta. Quinta-feira a curadora da mais prestigiosa feira do Oriente Médio, a Art Dubai, visitaria o MuBE para avaliar meus vasos. Despertei com vontade de desacordar, o corpo jogado num poço. Viajei pra São Paulo e ao pousar sabia que precisava tomar alguma providência pra me manter funcional. A conselho de um amigo médico, que mandou a secretária me acompanhar para facilitar as coisas e pra que eu não desistisse dos exames e procedimentos solicitados – este me conhece bem –, dei baixa no Einstein. Diagnosticaram uma infecção parecida com pneumonia na parte superior dos pulmões – parece que a pneumonia afeta a parte inferior, foi o que disseram, ou entendi assim, não importa, as febres dos últimos dias se deviam a isso e agora eu precisaria descansar, etc. e tal. Me entupi de remédios e fui ao encontro de Bisi Silva. Desempenhei-me o melhor que pude enquanto rezava internamente para que as peças se mostrassem mais eloquentes que minha tísica retórica. Sexta e sábado arrastei-me pelo palco, mas, por uma dessas contingências sublimes, as bênçãos de Dionísio caíram sobre nós e, nas duas noites, demos espetáculos memoráveis: palco não liga pra febre. Dormi treze horas e acordei com uma mensagem no celular, que havia esquecido de desligar. Era João.

Estou com muitas saudades suas.
Taí, confessei!

Havia uns dez dias que não nos falávamos. Talvez mais, não sei, quem fazia contas era ela. Stella buscava contato de toda forma, eu não respondia. Quanto mais me procurava menor era a minha vontade de atender a seus apelos, e agradava-me saber que se desesperava. Se diminuísse a insistência, talvez sobrasse espaço para considerá-la, mas, com o tempo todo preenchido por demandas, não havia por quê. Eu morava no vazio e havia conforto lá. Por que a mulher não parava de enviar mensagens lamurientas? Por que não ia embora e me deixava em paz? Gostava dela quando ausente. Ao se aproximar tornava-se comum, cobrava, exigia, igualava-se às outras. Apagada também era atraente. Gostava de vê-la dormir, sonhar, ouvir sua respiração, amava-a nesses momentos, sentia desejo por ela. Muitas vezes esperei que dormisse para me masturbar olhando sua figura perfeita. Mas até aquilo podia ser opressivo. Uma hora ela acordaria, e acordada pediria sexo, um sexo impossível para mim. Era como transar com uma boneca de plástico! Só que não era boneca: Stella gemia, queria interagir e me olhava com aqueles olhos famintos, desejantes.

Certa tarde, por insistência de minha filha, saímos para almoçar. Lica levou uma amiga e aquilo foi providencial. Stella, que normalmente se misturava bem com as meninas, preferiu disparar uma artilharia de queixumes pra cima de mim. Estava furiosa. As meninas falavam de um lado da mesa, nós discutíamos do outro. Ninguém comeu. Na saída do restaurante os desacertos pesavam um saco de batatas podres. Fomos pra casa e o suplício continuou. Eu era o aluno incapaz e ela a detentora do saber. Com a objetividade de uma professora de matemática, apresentou-me a meu quadro negro: "Há meses vejo um homem miserável. Você faz análise dois dias por semana, às vezes mais. Sua psicanalista é uma burocrata preguiçosa que está demolindo sua autoestima, e reforçando a impressão de impotência como se sua desordem fosse um fato consumado. Não é, nunca é. Ela está esperando o que pra reavaliar as táticas? E a psiquiatra? Como é que alguém prescreve seis tarjas pretas para um ser de estrutura tão fragilizada? E as mantém!, sabendo que só aliviam a tormenta quando ele toma sete vezes a dose prescrita? Ou ela não sabe somar?! De mãos dadas, as 'doutoras' estão desmontando um homem, e este homem é você. Se quer mesmo se perder há meios honestos, eficazes, e bem menos sofridos." Não guardei as palavras exatas, espiral atordoante, mas sobrou o impacto de seu amor – feroz, eloquente, teimoso –, que a autorizava, dizia, a me arrancar do beco sem futuro em que me atirara. Fomos num crescendo até que, pelas tantas, ela parou. E no silêncio deu-se um respiro (ainda que não houvesse ar no quarto). Longos foram os minutos que ficamos suspensos naquele ponto em que não se sente nada. Por sorte existe. Depois, numa lógica sem dramas, Stella me conduziu a minha morte: o desfecho mais perfeito para a equação que eu vivia. Opção legítima, disse, questão de escolha. Foi clara e descreveu a possibilidade de maneira tão sedutora que, se eu tivesse uma pistola, a teria disparado contra o peito. Ao contrário, desaguei num choro copioso. Toda a angústia destampou (num repente escapou-me) e chorei. Stella se deitou a meu lado, encostou o corpo no meu, e quando a solidão já não cabia no quarto lambeu minhas lágrimas e abraçou toda a desesperança. Entrelaçados, minha vida na dela, dormimos. Pouco depois percebi que levantou com cuidado para não fazer barulho. Deve ter ido para o teatro.

Fiquei prostrado na cama horas e horas. Em algum momento mudei-me, claro, para o bunker, não sei em que ponto, quando vi estava lá em posição de feto. Natimorto deplorável. Pelas tantas começaram a pipocar lembranças. Recordei-me da última vez que chorara na frente de uma mulher. Eu tinha cinco anos de idade. Chorei porque tomei bronca de uma professora gostosa que queria agradar. Ela disse que havia "se decepcionado muito comigo", e eu chorei. Stella era a professora que eu desejava. Tal como ocorrera com a outra eu não conseguia agradá-la. E como a outra Stella também me ensinava coisas. Ela me apresentava ao interior de minha cabeça, um mau lugar, mas íntimo. Havia dias em que conversávamos profundezas personalíssimas, como naquela tarde, nunca tanto, porque eu não aguentava, mas às vezes adentrávamos um pouco os territórios acidentados. E, quando ela via que me faltava ar, me botava a olhar pra fora. "Um lugar mais simples o lado de fora", porque eu não ficava por ali de vez em quando? Queria que me movimentasse, que fizesse exercícios. "Há posturas que, praticadas por determinado tempo, alteram a bioquímica do corpo", dizia, "e a bioquímica muda o olhar, a forma de enxergar o entorno, todo o pensamento se altera. Manter-se curvado para dentro leva à introspecção e às suas vertentes, a tristeza, por exemplo. Ao passo que posturas *de vitória*, ou *de poder*, trazem bem-estar. Levante os braços em V, coloque as mãos na cintura e ande pela casa, vamos, abra o peito, vire o plexo para o sol. Experimente!"

Como era exaustivo aquilo!

E como era alegre...

De manhã cedo ela uivava dentro do banho e pedia que eu fizesse o mesmo. Queria que cantasse no chuveiro e mentia que eu tinha boa voz. Na rua saltitava a meu lado pelas calçadas tentando em vão que a imitasse. Marcou aulas particulares de respiração indiana, Gyrotonic, e sessões de acupuntura. Mas não ia acontecer. Não havia hipótese de eu revelar mazelas íntimas a um desconhecido, pra depois deixar que me espetasse. As agulhas não fariam cócegas nos nós de meu emaranhado. Stella era uma aloprada. Eu aceitava e confirmava tudo para não aborrecê-la, e depois, simplesmente, não comparecia.

As semanas seguintes foram caleidoscópicas, acontecia de tudo e muito: afeto, intimidade, revelações, tapas e juras de amor, never a dull moment. Estilhaços de vidro começavam a se expor na superfície de nossa história, a relação se tornava perigosa. Eu me atraía, ele se assustava. Incomodava a agressividade de seus argumentos cada vez mais ofensivos do que razoáveis, estava tomado por contradições que não conseguia mais esconder. Para João o perigo era outro: a cada surto seu, meu carinho aumentava. Por dentro o impulso era destruir, esganá-lo, mas eu me continha como um monge velho, e com calma cirúrgica e estudada aguardava teimosamente, até que o afeto o curasse. Cada dia nosso laço ficava mais forte e inescapável, aquilo não poderia mais ser vivido como um caso inconsequente.

O primeiro encontro depois de João calar minha boca por SMS foi de noite, em sua casa, após um implante dentário a que se submetera. À tarde ele me havia enviado uma mensagem explicando a intervenção, que ao final dizia:

Eu ficaria feliz se você passasse aqui em casa depois da peça pra me dar um beijo.

Quando cheguei, sem saber se era pra dormir ou só para servir de enfermeira, dar sopa na boca, essas coisas, lá encontrei Lica e o melhor amigo, o tal editor da *Cenarium* que me achava de primeira.

Quem é que passa duas semanas sem ver a namorada, tendo agido estupidamente na despedida, e depois recomeça o romance em uma noite de boca inchada com pontos e anestesia? E por que um homem solitário enche a casa – para os padrões dele três era festa – com pessoas que pouco se conhecem, e recebe-as completamente drogado, cheio de opiáceos a lhe turvar o cérebro? Este era o quadro quando adentrei a sala, a porta da frente estava aberta – ele nunca fechava –, fui entrando. Deparei com a situação e tratei de me inserir, fazer o quê? A verdade é que gostei imediatamente do cenário, havia uma estranheza que me desarmou de súbito, colocando-me à vontade. Por conta da dor a dentista receitara analgésicos tarja preta, justamente do tipo que João abandonara desde que se impôs a desintoxicação. Os remédios, cuja dose ele havia triplicado por conta própria, o deixavam grogue, mas sobretudo doce, engraçado e amoroso, como um menino puro. Drogas normalmente sensibilizam um ambiente por ligarem as pessoas na possibilidade de que algo descontrolado aconteça a qualquer minuto. Mas *normalmente* era uma palavra que não casava com João, e nem com nós outros. Sentíamo-nos integrados à inadequação numa espécie de conforto tribal. Lica, de doze anos, não se envergonhava do pai, apenas, quando ele se distanciava demais de si mesmo, afirmava, Isso é o remédio falando... e ria pra mim, buscando cumplicidade: entre nós, carinhos, afagos, afeto. Conversei um bocado com Marcelo sobre assuntos diversos e o papo engrenava sempre. Era um homem triste. Gosto dos tristes quando ainda estão empurrando a vida para onde os poderá levar, há certa graça na inexorabilidade da tragédia humana... Acho que ele se sentiu aliviado por eu não ser daquelas atrizes afetadas que se tornam ainda mais falantes quando não há o que dizer, e porque eu cobria o amigo dele de chamegos e fazia graça com o fato de estar apaixonada por alguém que não me dava bola, e que, naquele momento, seria o último dos seres a encantar uma mulher.

Eu ficaria para dormir, João assim ordenou. Lica tentou se meter na cama conosco, eu não podia dizer nada, mas Marcelo não deixou, mandou-a para seu próprio quarto, e nós pudemos passar a noite como um casal.

Na manhã seguinte acordamos numa república, arrumamos a casa, fizemos café, colocamos a mesa, sentamos em torno, comemos, e conversamos relaxados e felizes. Viramos uma família.

E então ele sumiu. Por dez longos dias.

Era assim.

Ficamos nesse vai e vem por semanas intermináveis. Quando ele pedia eu voltava. Ele sempre pedia, eu sempre voltava.

Numa dessas voltas, não importa qual – eu não passava de um pulmão submerso, quando ele soltava, aquilo subia à superfície e vivia mais um pouco –, ao telefone, corriqueira como se o tema estivesse afinado com a nossa desmelodia, contei-lhe:

– Hoje, por estes dias, tô vendendo a chácara em que ia passar a velhice, e um apartamento que era pra Ana quando saísse de perto de mim, mais um terreninho que tenho em Planícies. Vou comprar uma casa com vista pro mar, botar abaixo, construir outra linda e mudar pra lá. Também vou trocar de marchand, mas isso é segredo. Tudo novo! Morte e renascimento, e muita reza forte, que las hay las hay. E vou mudar de estado civil. Quer casar comigo?

– Depende. Onde é a casa?

– Seu turco!

– Ué? Você falou de badrinônio depois perguntou ze guer casar? Instigou a turquice em mim.

– O negócio da chácara eu fechei hoje. Acabou. E eu me senti péssima trocando um sonho por uma abstração de papel. Estou exausta, não tenho mais onde morrer, é simbólico. E você vai ter que casar comigo por amor.

– Mas gombrador não bagou? Gadê dinheiro? É claro, turco caza bor amor! Zô turco avetivo! Muito garinhozo! Mas muito breocupado futuro nosso, gon nossas obrigação!

Calei-me pra fazer graça.

– Gadê vuzê moça rica e triste?

– Moça ingênua idealista não quer falar com turco interesseiro.

– Breziza falar não! É zó gaza nu papel e vicá quieta. Moça idealista vai cê feliz porque turco tem muita ideia na cabeça. Linda!

– Bobo!

Quando ele queria ser encantador, era imbatível. Canalha.

E havia momentos mais elaborados. Como as conversas que tivemos quando soubemos da enfermidade de García Márquez.

Odeio a "gabomenagem" chorosa. Gosto do
Mario Vargas, 100 vezes mais. Realismo fantástico
é a puta triste que lhes pariu. Tia Julia impera.

Mas são dois mundos, apenas
usam o mesmo idioma.

São dois mundos, de fato. Um da hipocrisia,
da merda fantástica. O outro, que eu amo.
Eu sempre odiei ler o demagogo, ainda que
não soubesse dos fatos e achasse que era
bom porque todo mundo dizia que era. Tentei
estoicamente, mas não fluía. Depois vieram os
fatos, o abismo entre o realismo fantástico do
papel e o bajulador de ditador na vida real.

Verdade. Mas ao olhar pra ilha quando havia
o subsídio a gente se maravilhava e não via q
o ditador era tao voraz. Ok. É decepcionante
que nunca tenha retirado apoio, mesmo
depois de desveladas as atrocidades. Mas
também é um equívoco diminuir a obra por
conta de contradições do cara. Nenhuma
obra sobreviveria. Gabo é universal!

Eu logo entendi. Mesmo antes que seu
caráter emergisse eu já sabia. Ele era

um merda até quando eu mesmo via
a ilha como uma aldeia gaulesa.

Ironicamente, ele é também o autor de um dos
romances que melhor dissecam a personalidade
autoritária, ditatorial, O outono do patriarca.

Sim. No papel. Na real, ele e seu Chico
amado se calaram quando os fatos vieram.

Gosto quando você enfurece por idealismos.

Faço uma contrapatrulha em você.

Você tem razão no que diz. Mas se for
pensar assim, tenho que lembrar do
Chaplin, e tantos outros. Prefiro ficar com
tudo e todos e deixar a razão pura pra
você. Quando eu me exceder, você apita.

Apito!

Algumas noites ele ia me buscar ao fim do espetáculo,
entrava na fila, comprava mais programas, ou simplesmente sentava-se a um canto e tirava conclusões, eu suponho, a respeito de minha relação com o circo. Parecia
se divertir. Saíamos pra jantar, bebíamos pouco, voltáva-
mos pra casa, a dele em geral, porque era aconchegante

e mais discreto não sermos obrigados a entrar e sair por um saguão com desconhecidos. Cantávamos um para o outro, curiosamente, o moço era afinado, de voz bonita, e tinha todo um repertório de Cartolas, Noéis e Isauras. Eu dançava pra ele. Uivávamos para os cachorros noturnos, e eles uivavam de volta. João não sabia que era possível comunicar-se com os animais mas acabou se convencendo, já que isso é um fato e não se pode negar. Havia um pássaro que fazia serenata à noite em sua janela. Todas as noites. Pássaros não cantam depois que o sol se põe, mas aquele sim. Era de um piar azedo, insistente, que desesperava o dono da casa. Vinha de lugar nenhum e de toda parte, difícil localizar. Aquilo começou a me incomodar por tabela até que, certa noite, afinei os ouvidos, foquei os sensores no pio do bicho e, tendo encontrado a origem do mal, lancei-lhe uma praga (em forma de canto também, claro, para facilitar o diálogo). Fui me empolgando com o próprio desempenho e daquele canto inventado surgiram movimentos, passos, dança, uma coreografia completa. João observava entre o riso contido e o respeito, que ele, mais do que ninguém, devia à loucura alheia. Loucura ou bruxaria, o fato é que, na mesma noite, o penoso se foi, e até os dias de hoje – soube recentemente – nunca mais abriu o bico por aquelas bandas.

Estávamos juntos havia cinco meses. E mesmo àquela altura, em meio aos percalços, havia períodos em que os ânimos subitamente se normalizavam e nosso convívio virava um corpo saudável e querido que embalávamos com a naturalidade dos que dançam fora do ritmo sem se dar conta. Aninhávamos aquela coisa que ia crescer e ficar rebelde, indócil e intratável. E em algum momento próximo – isso ambos sabíamos – seria atropelada por uma carreta. Mas naqueles dias em que a temperatura do ar era amena, e as calçadas mais espaçosas que de costume, e até flores havia nos galhos do caminho, tudo corria bem no melhor dos mundos.

Pelas manhãs saíamos andando nas ruas do bairro. Era um reduto judeu. Assim, tentávamos descobrir quais as ortodoxas que usavam peruca e quais as que desfilavam seus fios naturais: João errava sempre e nem acreditava que, no calor daqueles dias, as mulheres metessem um cabelo falso por cima do verdadeiro. Compenetrada, eu explicava que não confundia essas coisas porque minha avó judia só saía à rua no respeito às tradições e que eu tinha por costume me manter atenta aos hábitos dos antepassados. Era meia verdade, talvez um quarto... Existiu mesmo uma avó judia, muito ateia, mas tudo o mais era bobagem pra dar corda a uma conversa tola, que levasse ao riso. Algumas vezes ele me chamava para eventos na escola do Pedro ou da Lica. Instituições distintas, ambas ficavam no bairro, o que nos permitia ir a pé, como preferíamos. Encontrávamos suas ex-mulheres e as avós das crianças, e ele parecia gostar de se portar comigo como se eu fosse uma companheira para a vida, como se houvesse algo sólido entre nós, e eu, havia muito, já fizesse parte daquele arreglo familiar. Cheguei a conhecer sua primeira professora, que se mantinha na ativa e atualmente dava aulas também para o filho dele. A velha, muito doce, me contou suas travessuras de menino enquanto passava a mão no meu rosto, contente com a "escolha" do ex-aluno, Ah, quanto orgulho, um adulto formado! Espichava os olhos pra ele, em seguida pra mim, e nos acarinhava abençoando a união fortuita.

Se eu tomava decisões simples, mas peremptórias, como, por exemplo, Estou chegando no seu apartamento com um filme pra gente ver, depois jantamos e está resolvido!, ele gostava. Aquilo parecia aliviá-lo de considerações exaustivas e ele me recebia quase agradecido.

Mas sempre, mesmo quando nossa equação parecia somar dois com dois e dar quatro, em seguida vinha a tormenta. *Overwhelming*, dizem os ingleses. Talvez minha intensidade, ou a maneira como extravasava o que me ia dentro, fosse opressiva. Às vezes eu chegava agitada, com uma agenda plena de vontades e assuntos, e é possível que aquilo entupisse seus dutos já congestionados por complicações que eu não conseguia enxergar.

Um dia em que não quis dormir comigo, acordei de manhãzinha em meu hotel com uma compreensão diversa. Por essa época eu o chamava de Flor, diminutivo de Minha-Flor-do-Pântano. Mensagem.

Flor, vc não vai acreditar, livrou-se de mim, e não digo pra fazer jogo, não sou disso, você sabe. Apenas, como por vezes me ocorre, de supetão parei de sofrer. Tenho isso com obsessões, vou até o limite, sabendo q posso morrer daquilo, mas sigo pq me é imperativo provar cada fio de dor ou gozo. Ao mesmo tempo, enquanto me aniquilo, em outro plano, pouco a pouco e sem sentir, me convenço a arrancar de dentro o anseio, o vicio, todo o desejo. Foi assim com as drogas, com a bebida, com o cigarro, não fiz esforço, simplesmente um dia a vontade me abandonou: foi sempre sem mérito para mim, jah q não houve uma determinação. E em todos os casos foi para sempre. Hoje, ou ontem talvez, durante a noite, não sei, de uma hora pra outra, vc e tudo que representa me abandonaram. Não preciso mais que me ame, não preciso curar você, transar com você, não preciso de nada. De súbito passei a amar você sem sofrimento, liberta de desejos e obrigações pesadas. Em consequencia, libertei você também dos meus desejos que não eram os seus. Acabou o meu lado da doença, tenho quase certeza disso porque senti um estalo físico. Será um milagre que se deu as escuras? Tomara. Se isso durar será a solução!

Estávamos num dos intervalos que pontuavam a nossa relação (e que eu fazia crescer à medida que aumentava minha afeição por Stella) quando ela apareceu na TV em mais um programa de entrevistas dos que participava para divulgar exposição e peça. Rabo de cavalo, calça clássica e camisa branca, estava sentada ao centro com entrevistadores de setores diversos em uma arena à sua volta. O programa era sério e as questões também. Num momento de relaxamento, alguém perguntou como andava sua vida privada. "Continua privada", disse Stella. A debatedora insistiu, "Você está namorando?" E ela, "Não sei." "Como não sabe, está ou não está?" E ela, "Não sei. Depende de dois não é? Temos que perguntar para a outra pessoa."

Passei-lhe um SMS:

"Eu estou!"

Assim que acabou a gravação, que era transmitida ao vivo, Stella me ligou. Dessa vez atendi. Saímos, conversamos, havia entre nós o mesmo fascínio desvairado que se reafirmava cada vez que nos encontrávamos. Os olhares, as palavras trocadas, tudo era de um encantamento sem controle. Nas três semanas seguintes fomos felizes como cabras na colina. Seu aniversário seria comemorado em São Paulo com um jantar após a peça. Para poucos amigos. Flavia voaria do Rio. Stella brincou que a filha só vinha de curiosidade, para não perder a chance de dar uma conferida no *namorado fujão da mamãe* e depois contar tudo para Ana e o pai. "Leve as crianças, e se achar tarde, ao menos Lica, pra que as meninas se conheçam." Eu estava pronto pra sair e Lica também. Minha filha lhe havia comprado de presente um batom que Stella elogiou numa das poucas vezes em que Lica exibiu vaidade de menina. Lica gostava de se vestir num estilo meio grunge, tudo largo em cores escuras, e Stella achou saudável a vontade de se embelezar, "... porque ela parece enfear-se de propósito." Estávamos arrumados e prontos para sair. Tive a intenção de ir até o último instante, mesmo quando começaram os suores e minhas extremidades gelaram e já me sentia muito desestabilizado fisicamente. E, enquanto Stella assoprava o bolo, eu ainda dizia, por SMS, que estava chegando.

Não apareci.

Tempos depois soube que ela adoeceu. Machucou a coluna ou algo assim, e cancelou espetáculos. Uma colega de cena me ligou pedindo que passasse no hotel para visitá-la. Não fui.

À medida que minha temporada paulista chegava ao fim, João recrudescia. Portava-se de forma cada vez mais extravagante, buscava discussões, precisava ter razão, e tinha: a sua. Só que agora ele berrava, iludido com a eficácia de argumentos insanos que proferia em compulsão febril como um cavalo que corre pra morte. Parecia buscar uma cisão, em tudo se mostrava odioso como se precisasse que eu me desse conta de alguma realidade que não percebia, e por isso, só por ignorância ou *naïveté*, insistisse em manter de pé nossa união. De fato, tinha me desapegado de uma parcela da obsessão por ele, mas ainda sofria com o descontrole, a intermitência do seu afeto, com minha crescente incapacidade de enfrentar os paradoxos do seu modo de amar. Se a perversão dele era a maldade, a minha era a cura. E lá ia eu de novo... Ao reparar aquele homem, eu reabilitaria outro maluco, o malfeitor original, tão triste e pessimista quanto este:

meu pai. Céus! A mente humana devia, periodicamente, tirar férias na cabeça de uma galinha, quem sabe, assim, simplificada, se fizesse viável.

Exausta e sem mais recursos para desarmar o homem atormentado por quem me havia apaixonado, desmontei sobre mim mesma: a coluna ruiu. Não digo no sentido figurado. Aventuras ao longo dos anos me romperam vértebras e carrego sequelas desses acidentes, ainda que, dada a gravidade das fraturas, conviva amigavelmente com elas. Naqueles dias, no entanto, minha espinha torceu-se num laço tão imobilizador que só conseguia respirar sem gemer com o auxílio de analgésicos poderosos. Nas últimas semanas, enquanto o meu corpo desistia de mim sobre uma cama de hotel, João me ignorava soberanamente. Ele sabia que eu adoecera porque fomos obrigados a cancelar espetáculos e a pausa de duas semanas foi anunciada em todos os jornais. Com o corpo paralisado sobrou-me a mente, a voar. E ela planou baixo. Imaginei que João exultasse com meu desmonte, ele que se deleitava no maltrato ao outro. Eu havia negligenciado até então os efeitos de suas zombarias, agora me punha a repassar cada momento em que, porventura, alguém à nossa volta houvesse manifestado entusiasmo, revelado um sonho de futuro, uma ideia alvissareira. E de mau humor, com o véu do encantamento levantado, eu percebia seus comentários não mais como gracejos ardilosos, mas como golpes de escárnio. Em dia de vísceras reviradas, o interlocutor desavisado poderia ouvir um palavrório desdenhoso com achincalhes tão demolidores quanto gratuitos. Viesse de onde fosse, o otimismo o revoltava, e súbito emergia de seus fossos um lodo corrosivo que João despejava sem dó sobre aqueles que entendesse mais frágeis. Não era porque odiasse o outro, mas porque dentro dele havia pântanos, e ele não podia suportar a ideia de uma construção; se não era possível em seus territórios não haveria de acontecer no entorno. O homem residia na palavra, e seu Templo era a inconcretude.

Vislumbrei também seu possível avesso. Talvez fosse o maior dos idealistas, o mais utópico sonhador, e tão imenso era seu plano para a humanidade que, ao nos perceber incapazes, repudiava toda tentativa que levasse ao desapontamento e à dor. E é possível que fosse apenas um rapaz machucado, cuja pureza fora surripiada pela vida, que é xucra e canalha, e tira de todos nós. Com os dutos mentais alargados pelo ópio dos analgésicos, a vigília me empurrava pra lá e pra cá. Depois de muito especular, concluí o óbvio: João era um pessimista contumaz que se divertia exercendo perversidades. Por demasiados meses eu havia buscado justificativas e relevado seus maneirismos cruéis. Agira assim para ex009-lo da responsabilidade, mas também em causa própria, para aquilatar o papel besta que exercia naquele jogo sádico.

Havia outra questão, eu era mulher como sua mãe, e como a sortuda da Charlotte que se fora e se livrara do suplício. Charlotte, a psicopata. Será mesmo? A única certeza era que a defunta vivia entre nós, pipocava nas conversas, na cama colava-se em mim, aparecia nos cantos, nas sombras, por toda parte. Charlotte era nossa assombração particular e nenhum morto era tão presente quanto ela. Eu estava pagando a conta de Charlotte, da mãe, e sabe-se lá mais de quem.

Em meus últimos dias na cidade, ressurgido de sua airada negligência, num descuido afoito, quem sabe, João pediu que eu me hospedasse uns dias em sua casa. Prometia ser o melhor dos homens, se redimir de todo o mal – que lhe permitisse a oportunidade de ser o cavalheiro de meus sonhos.

Como se ainda sonhasse...

Aceitei.

E ele, para meu espanto, cumpriu o combinado.

Incorrigível – porque assim é a natureza dos delirantes, que só admitem perder para a morte (eu estava uns bons degraus acima do simples otimismo) –, voltei a acreditar.

Nas últimas semanas de sua estada em São Paulo, perdi o chão. Teto, parede, rumo, nada no lugar. Sem referências, tive ódio de minha situação claustrofóbica e, por desvio, descontei em Stella.

O impulso inicial foi traí-la. Senti um tesão vigoroso que não me ocorria havia anos. Quis outra mulher. Pela primeira vez em vinte meses procurei a psicopata. Uma segunda-feira pela manhã caminhei até seu apartamento e me postei em frente, do lado de fora, na calçada. Fiquei umas três horas ali bolinando o pau por dentro das calças: ferro de adolescente. Andava de um lado pro outro com um boné enterrado na cabeça, olhos fixos no portão. Lá pelas tantas, ela saiu pela porta do elevador. Estava só. Trajava uma calça de alfaiataria cinza, camisa azul molenga, uma bolsa de mão quadrada e sapatos sem salto. Os cabelos estavam soltos, como eu gostava. Não tinha pressa, nem parecia estar pensando, a expressão em seu rosto era tão neutra que me assustei. Não sei o que esperava daquele reencontro tantas vezes fantasiado, mas decerto não era algo que pudesse acontecer com aquela figura trivial à minha frente. Desconcertado, dei um passo em sua direção, como o sádico que vai cobrar uma dívida impagável, mas freei a tempo. Oco, subitamente esvaziado, não me ocorria qual a agressão adequada a desferir contra ela. Nenhuma verdade corrosiva, nenhum dos xingamentos ignóbeis ou ofensas demolidoras que elaborara dia a dia, todos os dias desde o rompimento, pareciam ajustar-se. A ereção desapareceu por completo. Não havia o que fazer, um soco, nem um tapa sequer eu lhe daria. Era como se a repulsa, o desprezo, o escárnio e o amor inteiro fossem agora ausência. Tudo havia se transferido dali. E tudo era Stella.

Tudo era Stella.

A vida estava do avesso e Stella era o lado certo, a única parte que fazia sentido em meu desassossego. Com Stella dentro, as peças se uniam, e agregadas pareciam fazer minha engrenagem funcionar. Um pouco. E já era tanto... Agora ela ia embora. Ia viajar e seguir como antes de mim. Distante. Pensei em retribuir-lhe pelo bem que fizera a mim e a meus filhos. Minha casa, antes inóspita, estava funcional e bonita. Convidei-a para ficar hospedada conosco por mais dias do que de costume e devotei-me a tornar aqueles momentos memoráveis. Na última noite, já sabia que não viajaria com ela para Natal e evitei dormir para prolongar as poucas horas que nos restavam. Fui pedindo que contasse mais e mais histórias enquanto nos aconchegávamos abraçados em minha cama, aquela imensidão de travesseiros e lençóis das noites vazias: leito de aflições que agora voltaria a ser apenas isso. Stella, tonta de sono, sorria alegre pela paz daquele instante. Como era fácil agradá-la afinal. Dormiu contando casos, resmungando respostas para minhas perguntas sem se aperceber de quanto eu sofria por me saber incapaz de seguir. Deslizei o dorso da mão pela dobra de seu cotovelo, e sem tocá-la subi até o ombro, que, solto, deixava à mostra os seios, pescoço, rosto. Ela não se encolhia para dormir, dormia aberta, sem guardar nada de si. Seus pelos se esticaram levemente como se quisessem tocar os meus.

O espetáculo iniciaria sua turnê nordestina pela cidade de Natal. Enquanto eu atendia o público ao final da noite de encerramento, pelo canto da visão percebi meus colegas arquitetando alguma surpresa, Aguarde, vai gostar, diziam com gestos. João, entre eles, era quem mais se divertia. Tiravam fotos e riam numa intimidade inédita para aquele conjunto, porque João nunca fizera questão de se integrar ali, e todos sabiam que ele era uma espécie de namorado, meio inclassificável, mas que, apesar de importante, me entristecia. Por meses acompanharam de perto os tropeços amorosos que me punham a escalar cordilheiras para em seguida rolar morro abaixo com o emocional esfrangalhado. Agora, radiante, o grupo me aguardava com uma saída para a tormenta. O fim de semana próximo era longo, com feriado no meio, e ao saber da viagem para Natal João havia se animado em ir conosco. Tudo estava combinado.

Ele se aproximou, me lambeu o cangote discretamente, e sussurrou em meu ouvido que nossa história não se acabaria com a temporada, haveria encontros, paz e saúde (saúde!) começando logo, na semana seguinte. Teríamos dias ensolarados para mergulhar no mar, passear nas dunas, ouvir as nuvens a se deslocarem... Ele seria o homem que "Você melhorou", e nosso enredo se tornaria mais simples e possível, Verdade, você pode acreditar, soprou-me ao ouvido com um beijo de arremate. Que divinamente cafona!

Viajaríamos na próxima quinta. Minha equipe sairia do Rio, mas, como eu precisava passar por Guarulhos em função de um compromisso no Sul, João se uniria a mim na conexão e, juntos, seguiríamos a partir dali; ele havia feito a reserva havia pouco, pela internet, enquanto eu autografava programas. Estava com a passagem marcada!

Nos dias em que trabalhei em Curitiba, trocamos dezenas de mensagens. Exultávamos com as maravilhas por vir. Na quinta combinada, com o coração na boca, embarquei para São Paulo para encontrar meu companheiro de viagem, meu amor.

E... você já entendeu.

Ele não estava no aeroporto.

Romântica, supus por instantes que o rapaz fosse me surpreender dentro do avião, embarcando no último momento para criar suspense, mas, num impulso realista, me dirigi à funcionária da companhia e solicitei (devo ter implorado com os olhos) que espiasse no sistema a fim de me ajudar a compreender o que se passava. Tecnicamente ela não poderia aquiescer, não da maneira que fez, mas acho que intuiu o trágico de minha circunstância e, cúmplice (mulheres e o amor...), quis partilhar daquilo. Estudamos juntas as listas com os horários possíveis de voos para Natal, dois dias pra frente, outros tantos para trás, e acabamos descobrindo um passageiro com o nome de João. Estava marcado para o voo daquela quinta, mas desde o dia anterior encontrava-se na lista dos cancelamentos. Ou seja, houve o intuito de viajar, de fato ele havia reservado passagem a meu lado, mas, como de hábito, na hora da realização, recolheu-se ao templo do não fazer.

Ao me ver chegar a Natal desacompanhada, minha equipe espantou-se, Estava entusiasmado de não caber em si, parecia tão genuína sua vontade, diziam...

Talvez fosse.

A tristeza escorria de mim, quente como a água do mar.

Instalada num hotel pitoresco voltado para o horizonte líquido – situação cuja beleza piorava sensivelmente meu estado de espírito –, embarquei no convite de minha produtora, e nos afogamos em vinho barato até o desajuízo tomar conta. Devidamente embriagadas furamos as ondas e mergulhamos no escuro. A lua estava cheia, a água morna e brilhante, e tudo parecia perfeito até que, ao sair, uma pedra se enfiou embaixo de meu pé e, perversa, torceu-o desgraçadamente. Tratamos com gelo e tudo o que se faz, mas, na estreia da noite seguinte, o calcanhar parecia inchado como uma elefantíase e eu mancava de fazer dó. Até o abrir das cortinas. Assim que a personagem me tomou, a dor se foi, e quem ganhou a cena era alguém que não sabia dos males do pé ou do desconsolo que me turvava o espírito havia meses. Poucos estão a par, porque é segredo de metier, mas o teatro tem sua alquimia. Então, além dos problemas para colocar a peça em andamento numa casa de dois mil lugares, com complexidades que me obrigaram a inventar alternativas e a me concentrar em questões de ordem prática, houve a cena, propriamente, a me reerguer. Noite após noite, algum sortilégio buliu com a bioquímica da atriz (que chegara a pensar em deixar de ser) e por duas horas subtraiu todo incômodo que pudesse interferir na entrega sem a qual não se pisa um tablado para contar histórias. Assim ocorre com todos nós. Após os aplausos, quando voltamos à vida corriqueira com suas questões e mazelas, parece que se passaram três dias em vez de horas. E essa graça adquirida involuntariamente, essa nova ordem permite olhar para si mesmo com grande serenidade. Por algum tempo, o suficiente. Pois, se tudo não se resolver naquela noite, haverá a seguinte, e a próxima, e todas as noites em que o teatro, com sua mágica, estiver a transformar aqueles que se entregam a ele e a seus sortilégios.

Dias mais tarde, quando já estávamos em Fortaleza, João passou-me uma mensagem com uma foto de seu filho correndo pelas dunas de Natal. Aterrissara na cidade com Pedro, no mesmo dia em que voei dali.

Secaram-me os rios de dentro. O sangue empedrou. Coagulei.

Fui caminhando até uma papelaria, encontrei um papel bonito, sentei-me calmamente e lhe escrevi uma carta. Postei-a no correio, ao modo antigo, pra que chegasse bem devagar. Não havia pressa.

Até eu tenho um limite, João, chegamos lá, você conseguiu! You are relentless in a way: the bad way. Saio esvaziada. Foram tantos os motivos para seus nãos, a mulher, o negócio, o desencanto, não importa, você escolheu ser avaro comigo. E eu, moleque de rua, indigente, sem-vergonha, fui colhendo as migalhas jogadas ao chão. Seria elegante deixar a cena de cabeça alta, em silêncio – tanto foi dito –, mas nem sei se, com palavras, tocamos no essencial, penso que não. De qualquer forma eu prefiro o explícito, o escancarado, há mais vida acontecendo quando se correm riscos. Às vezes eu acho (outras não) que você se apaixonou por mim mas não teve coragem de contar para si mesmo, acho que nunca existiu outra mulher com quem você pudesse bater uma bola cerebral no padrão que nós estabelecemos – você ama o "cerebrismo", e entre nós há a vantagem de eu segurar o jogo no astral, não deixando descambar para o despenhadeiro aonde você nos levaria. Brincar era bom, caminhar, rir, comentar, bisbilhotar, observar o mundo com o olhar "cínico", distinto de tudo, que descanso da mesmice! E dormir junto, como era gostoso, ai que saudade vou sentir. Aquelas noites apagavam os mal-entendidos das mensagens escritas, tão habilidosas as suas... mas sem corpo e voz, olho no olho, não se compreende o que importa, sabe? Li na revista Time *certa vez que apenas 20% da comunicação humana é feita através da palavra, mesmo quando se está falando, o mais são gestos, pausas, entonação, mímica corporal e facial. Imagine então numa escrita rápida de gente que pouco se conhece. Pra você que tolerava mal o bem-estar entre nós, os desacertos vinham a calhar: quem sabe, num desses equívocos, o destino cuidava de levar o estorvo embora? O estorvo sendo eu, evidentemente, e tudo o que você supõe que eu pudesse representar, se, se, se... quantos horrores imaginários são necessários para afastar a vida do caminho? O fato é que, mesmo nos empurrando pra longe, você sentia falta depois. Ou não? Quanto a mim, não tenho vergonha de dizer, fui moída por dentro, você sabe, adoeci, você viu. Podia ser tão simples, que pecado. Pecado seu. Eu vivo entre botos e fadas, você disse um dia, talvez eu os tenha convidado para o convívio (você deveria fazer também), pra me acompanharem aos domínios menos cerebrais das razões. As fadas disseram que você pensa em mim, pensa muito mais do que minha estima própria, mutilada, seria capaz de supor, mesmo num arroubo de autoindulgência. Sinto você pensando, quando acha que está sozinho, eu estou ali também, e meu corpo reverbera aquelas intimidades que não são só suas mas nossas, isso aconteceu muitas vezes. Deliro? Como me atormenta essa sensibilidade torta, inoportuna. A você, eu imagino, os pensamentos deliciam, porque, enquanto eu carrego a vida numa toada dionisíaca, enquanto preciso experimentar de tudo, você é aristotélico, platônico. Bobo. Poderíamos ser deliciosamente complementares – que tolice estamos fazendo! Sim, eu disse estamos. Cansei finalmente e vou deixar você ter seu jeito, aliás como sempre foi, com você no comando, demolindo, enquanto eu recolhia tijolos pra manter a construção.*

Ia continuar nisso, escrevendo uma imensa carta, com uma variedade de histórias, algumas pra fazer você rir (ainda quero agradá-lo, veja só que tonta), outras, com as impressões que me ficaram, nem boas nem ruins, reveladoras. Mas cansei disso também. Não vale a pena.

Amo você.

Você me faz mal.

Com o beijo que nunca demos,

Stella

Passou-se um ano ou quase. Tudo que saiu publicado nos jornais a seu respeito eu li. Cada publicação, toda declaração que deu, cada frase que escreveu. Estive em Planícies e pesquisei os jornais da época do crime. Precisava entender melhor o que levou às fatalidades. Queria saber como era aquela mãe cheia de vida que Stella gostava de imitar. Como era Bernarda, eu precisava saber. E quem era aquele pai que, apesar do porte físico, ainda me servia de modelo nas incontáveis ocasiões em que me vinha à mente.

Assisti a todos os seus filmes. Um deles continha uma cena de sexo voraz. Pelo ângulo da câmera dava a entender que a penetração era anal. Stella havia me falado que esta cena fora o estopim do rompimento com o *amor de sua vida*. Já não se falavam, mas ela ainda o chamava assim porque tiveram um caso intermitente com namoros complicados que se reinventaram por décadas. Desde a adolescência haviam se amado até se perderem, "Uma fada perversa deve ter me jogado a maldição quando era uma tola romântica, só fui me livrar depois de beijar uma fila de sapos substitutos, supondo que seriam meu príncipe." Recentemente uma ex, despeitada, tinha enviado ao rapaz um trecho editado da tal cena, para sugerir que Stella, e não a personagem, o estivesse traindo. O filme não havia sido lançado no Brasil, apenas em festivais fora do país. Ao deparar com a incontestabilidade das imagens, o sujeito quebrou. E a partir daquele ponto retraiu-se. Entendeu finalmente que não tolerava viver ao lado de uma pessoa célebre, não tinha estômago para engolir o que a amada era obrigada a fazer como atriz, escultora, e o escambau. Assim foi dizendo, e, de tanto repetir, acabaram rompendo para sempre. Baixei o filme para compreender o que mobilizara o rapaz a ponto de recuar de um amor de vida inteira, mas, ao contrário dele, não senti ciúme. Tive inveja da intimidade física. Desejei ser o ator que roçava o corpo de Stella, sentir sua pele despida, quis penetrar-lhe a bunda, lambê-la, me entorpecer dos odores que emanavam de seus vãos. Desvãos... perdidos.

Depois de um tempo lendo bobagens nas redes sociais, tolices que não teriam sido postadas por Stella, encontrei por fim a página legítima do Facebook. Passei a acompanhar toda postagem, não fazia comentários.

Ali conheci uma fã ardorosa, aprendiz de artes plásticas, moça esperta e jovem. Começamos a nos corresponder. Patrícia era fanática por Stella. Através do relacionamento digital ficamos próximos, até que convidei-a para jantar. Ela aceitou e acabamos na cama. Uma, duas, três vezes. Havia sempre um jantar em que eu a seduzia com cacoetes de intelectualidade banal para depois levá-la ao sexo. Falávamos pouco de Stella. Francamente, me incomodava a vulgarização de sua figura nas palavras, ainda que elogiosas, daquela fã histérica. Stella ocupava agora um posto intocável. Eu a havia colocado numa espécie de altar interior que visitava sempre, para pensar nela (degustá-la). Até doer. Misturava dados colhidos nos meses póstumos (era como eu os chamava) a elementos da época de nosso convívio. Juntava as partes e tirava conclusões sobre a vida que ela expunha publicamente. Especulava sobre como se sentiria no íntimo a respeito do que dizia em público. Atribuía-lhe motivos que a tornavam mais palatável do que antes e tinha certeza de que eram reais. Sempre houve uma espécie de telepatia entre nós, mais da parte dela, é verdade. Agora era o inverso. Dia a dia Stella se moldava às minhas necessidades, e tornava-se uma mulher possível. Eu a havia capturado finalmente e agora ela era minha. Aonde eu fosse ela ia junto como uma sombra de movimentos independentes. Em nossos diálogos emitia opiniões quase sempre opostas às minhas, mas que já não me desestabilizavam: sua presença continuava provocante mas sem oprimir. Chegamos a um ponto em que eu não tomava decisões sem antes consultá-la, porque Stella tinha um jeito com a vida que fazia o curso andar. Pela primeira vez, os acontecimentos de meu quotidiano pareciam se encadear em sequência fluida. Stella sabia conciliar simplicidade com sofisticação de raciocínio, e raramente se complicava com especulações excessivamente subjetivas. Cada ato meu era guiado pelo que imaginava ser a posição de Stella caso estivesse ali. Porque ela estava. O tempo havia concretizado sua presença com tal força em minha carne e espírito que foi virando uma entidade real, tão indiscutível como a luz do dia. (Perdoe a metáfora desgastada, mas, como dizia Stella, certas declarações parecem vestir-se melhor com o brega do que com o chique.)

Então nas tardes com a moça, sua devota, o que eu pretendia era colher alguma revelação que me surpreendesse e viesse refrescar o convívio com ela. Não por mim, que nunca em minha convulsa existência estivera tão satisfeito, mas por Stella, que sempre gostou de novidades; para acrescentar estímulo e diverti-la. Mentia para a moça dizendo que nunca vira Stella fora de cena e que meu interesse se reduzia à pessoa pública. Patrícia então se excitava em descrever minúcias sobre os encontros e conversas mantidas em contatos com a artista. Na quarta e última vez que saímos, lá pelo meio do sexo, entre arfares e sussurros, a fã introduziu seu ídolo como ingrediente de fantasia ao entrevero erótico. Brochei na hora. Irremediavelmente. E ali terminamos. Eu já estava mesmo cansado de ouvir generalizações estúpidas sobre Stella.

A minha Stella.

Na semana que antecedeu o fim da temporada paulista, pouco menos de um ano atrás, eu havia prometido viajar com ela para o Nordeste. Seria logo nos dias seguintes e eu estava livre, mas faltei ao compromisso sem dar explicação. Desta vez ela me escreveu uma carta de despedida. E para não haver dúvida de que era definitiva mandou a sentença dentro de um envelope com cola, papel e tinta. Tudo bem palpável. O fim chegou pelo correio e não nos falamos mais.

Onze meses transcorreram desde a última noite em minha casa. Pensei nela todos os dias, sonhei e elaborei planos que seriam possíveis se o mundo fosse outro. Se eu fosse paquistanês, e ela, a manca. Se a lua nascesse dentro de uma xícara e eu pudesse oferecê-la hoje como presente.

Stella girou 365 voltas em torno do Sol e é novamente o dia de seu aniversário. Acordei com ela pulando dentro de mim. Fazia uma baderna libertadora. Cantava em croata, uivava, rugia, e dançava sozinha seu *pas de deux*. Não precisava de ninguém, o mundo inteiro rodava em seu entorno. Tão íntima e radiante era sua presença que, num repente, todo o receio acumulado aquele ano, e na vida, por que não dizer, me abandonou. Teclei-lhe umas palavras que enviei por SMS. Estava eufórico, por fim sentia-me pronto para Stella. Em todos os aspectos. Norte à frente, rédeas em punho, sabia precisamente o que devia ser feito. Havia um destino possível pra nossa história e eu estava preparado para a sua execução.

Tanto que estou aqui há horas, olhando e interrogando o telefone à espera de um sinal.

O telefone tocou.

Agradeço ao amigo José Mario Pereira, primeiro leitor, por suas valiosas contribuições.

A marca FSC® é a garantia de que a madeira utilizada na fabricação do papel deste livro provém de florestas de origem controlada e que foram gerenciadas de maneira ambientalmente correta, socialmente justa e economicamente viável.

Este livro foi composto em Arnhem 11,5/17,5
e Helvetica Neue e impresso em papel pólen soft 80g/m²
na Prol Gráfica e Editora.